TRADITIONAL
MĀORI
STORIES

Also by Margaret Orbell

Maori Folktales   1968
Contemporary Maori Writing (ed).   1970
Traditional Songs of the Maori (with Mervyn McLean)
      1975 (rev. 1990)
Maori Poetry: An Introductory Anthology   1978
The Natural World of the Maori   1985
Hawaiki: A New Approach to Maori Tradition   1985
Waiata: Maori Songs in History   1991

About the author

Margaret Orbell is a leading authority on traditional
Māori literature and mythology. Born in Auckland in
1934, she was editor of the Māori Affairs Department
journal *Te Ao Hou* from 1961 to 1965, and later gained
her Ph.D. in Anthropology at the University of
Auckland with a thesis on waiata aroha. She taught
Māori at the University of Auckland (1974-75) then
moved to Christchurch, where she is presently
Associate Professor of Māori at the University of
Canterbury.

   She has published numerous books and articles, in New
Zealand and elsewhere, on traditional Māori literature
and thought.

TRADITIONAL
MĀORI
STORIES

INTRODUCED AND TRANSLATED BY
MARGARET ORBELL

REED

Published by Reed Books, a division of Reed Publishing
Group (NZ) Ltd, 39 Rawene Road, Birkenhead, Auckland.
Associated companies, branches and representatives
throughout the world.

ISBN 0 7900 0534 4

Printed in Singapore

Contents

Introduction

MOST OF THE stories in this collection tell of encounters with the supernatural. They give expression to ideas and preoccupations of central significance in traditional Māori thought and religion, and they were unquestioningly accepted as the truth. It was because they were real that these strange and marvellous events were so important to the storytellers and their audience.

Some storytellers describe meetings with patupaiarehe, or fairies, who lived in the misty hills. These uncanny creatures were human in form, but with pale skins and hair. They were ambiguous beings, both attractive and threatening. They resented human intruders yet were curious about them, and they coveted human women and treasures. To keep them at a distance, the humans employed fire, steam from ovens, and red ochre. But sometimes a human would fall in love with a fairy. And occasionally they would steal the fairies' property, though this was a dangerous thing to do.

Giant reptiles, or ngārara, were thought to attack and devour human beings, or sometimes to capture them. These mythical monsters were enormously enlarged versions of the little geckos which people encountered in reality — and which they regarded as agents of evil, responsible for much illness and death. In a popular story, a giant gecko kidnaps a woman and tries to make friends with her brothers; they pretend to offer hospitality, then destroy their ancient enemy. In another tale, a man suffers the attentions of a female ngārara.

Taniwha were supernatural beings of a different kind. These spirits inhabited the rivers and the ocean, and sometimes moved through the earth as well. They might look like whales, or perhaps rather like tuatara, or they could take the form of a drifting log. Many stories tell of taniwha that attack and devour human beings, till eventually a way of defeating them is found. But taniwha were not always hostile to humans. Generally they had a close association with one particular tribe, accepting offerings of fish and acting as guardians of tapu (sacred) things and places. So long as their tribe treated them well and respected the laws of tapu they did them no harm, and often they protected them.

When a tohunga's daughter, Pare-kawa, broke an important tapu, a taniwha named Peke-tahi punished her by taking her down to his home beneath the earth; but because of his special relationship with the girl's father, Peke-tahi later allowed her to return to this world, and she spoke of what she had seen. Another tohunga, Te Tahi-o-te-rangi, was marooned by his own people on Whakaari (White Island), but his mana was such that the taniwha inhabiting those waters came swiftly to his aid. Later, when Te Tahi died, he himself became a taniwha, and he is said now to rescue his descendants when they are in danger of drowning out at sea.

Visitors appear from the underworld, and perilous journeys are made down there. A dead man, Te Ata-rahi, returns from the underworld and frightens the living. A man named Hutu brings back from the underworld the soul of a woman who has died, and a party of travellers return with the knowledge they have gained there — though as usual, there is a price to pay. Another distant and inaccessible realm, the homeland of Hawaiki, is visited by fishermen who have been swept out to sea by a storm; they find an abundance of good food, and sometimes wives for themselves, but there is danger as well, and in one story they must fight a giant bird.

Evil is encountered within the family group as well as outside. A woman attempts to devour her own children, then threatens her husband. Sometimes a brother or brother-in-law attacks without warning, and for no other reason than shame or jealousy — which in itself explains nothing. Such essentially motiveless enmity, from someone bound to the victim by the closest ties, is the stuff of nightmares, the destruction of the human order. And indeed it is sometimes explained, as in the

2

The Rev. Mohi Tūrei, one of the last of the great writers of traditional stories, wrote his version of the story of Taha-rākau in 1908.

stories of Houmea and Tītapu, that the assailant is really a spirit, an atua. Always the humans are triumphant, and the human order is re-established.

In other stories a single individual struggles to gain his rightful and natural place in society. A young man searches for the father he has never known, making a magical voyage in a rewarewa seedpod; he is enslaved, but finds a way of proclaiming his true identity. Menaced by a witch, Paowa escapes, enters a log and floats across the ocean. He attends his own funeral, is treated badly, then is recognised at last.

In these two stories, and many others, the hero succeeds in his undertakings through the assistance of a woman. Usually she is a relative or wife, but even a stranger will offer advice and support when necessary. Such assistance from women was taken for granted by the storytellers and their audience, as it has been in all traditions.

Women themselves, when they set out on an adventure, are nearly always in search of a husband. One such story concerns an ancestress who, as a storyteller explained, 'possessed godlike powers such as were

3

common in this world in the days of old'. Abandoned by her husband on Kāpiti Island, Hine-poupou rejoins him by swimming for more than a month across the wide waters of Raukawa (Cook Strait) — though when he later ill-treats her once more, her patience is exhausted and she takes a spectacular revenge.

Two other stories in which women seek husbands have nothing of the supernatural. Te Huhuti, in love with Te Whatu-i-āpiti, runs away from her people and swims a lake to reach his home, while Te Kahu-rere-moa, pressured to take a husband she does not love, abandons her tribe and undertakes a difficult journey to find the man she wants. In reality, political events and the fortunes of war often determined the choice of a woman's husband, but the women asserted themselves as strongly as their circumstances allowed, and were sometimes successful. Certainly myths and legends in which spirited women take control of their own futures were popular with both men and women.

Most of the people in these stories are regarded as ancestors, and their names occupy honoured places in the long genealogies which were preserved with such care. Some, like Houmea, occur in the earliest stages of the genealogies and are mythical rather than historical persons. Many, though, were actual people, even when the storytellers relate their adventures with taniwha and other supernatural beings. The stories about Te Huhuti and Te Kahu-rere-moa, for example, were of interest largely because their marriages led to significant tribal alliances, and leading families traced their descent from them.

In Māori tradition there are a great many narratives that tell of alliances and battles, struggles between tribes, and quick words that led to quick action. This legendary history is of great importance to the tribes to which it belongs, and others also; but the longer and more detailed stories require much background knowledge, and are therefore not appropriate for an anthology such as this. Nor are many myths included, for these narratives require, in most cases, explanations as to religious ritual and belief. The emphasis is upon stories that are readily accessible, and at the same time communicate much about traditional Māori thought and experience.

Nearly all these stories were written by Māori writers in the second half of the last century. A knowledge of reading and writing was acquired from Pākehā missionaries in the 1820s and 1830s, and spread rapidly throughout the country. Soon tribal authorities were passing on traditional knowledge in this new way, and some Pākehā, having acquired an interest in Māori tradition, were entrusted with their writings. Most of . these manuscripts have ended up in the great collections of Māori writings that are preserved in our public libraries. Other records were retained

4

by the writers' families, and are the taonga of their descendants.

Some Pākehā, such as George Grey, published translations of traditional stories, and in some cases the Māori texts as well. Unfortunately they seldom gave the writers' names and tribal affiliations, but these can often be found in surviving manuscripts. It is sad that very few stories told by women can be identified among these manuscripts; it seems that few of the Pākehā collectors of tales asked women for stories, although there were undoubtedly many women who were expert storytellers. In the present collection there are, however, two stories that are known to be by a Waikato woman, Hariata.

The storytellers appear to have written their stories very much as they were accustomed to telling them. The stories themselves are traditional, inherited from earlier generations, and in some cases so old that they go back in their origins to stories brought to Aotearoa by the first people to arrive from tropical Polynesia. But all of the narrators, while faithful to this inheritance, have shaped their material in their own way and told the story in their own distinctive manner. This stylistic individuality becomes especially apparent when we are able to compare a number of stories by the same writer, or where there are different narrators' versions of a single tale. Each storyteller has their own approach, their own artistry.

On paper we do not have the performers' presence, the voice, the gestures, the relationship with the audience, the context in which the story was told. But the storytellers who chose this new medium and invented new contexts, seizing this opportunity to preserve their knowledge in a changing world, have achieved their purpose and passed on their heritage.

1 *The fairies of Puke-more*

PATUPAIAREHE, OR FAIRIES, were thought to live on hilltops and move around in the darkness and on misty days. They were atua, or spirits, but unlike other spirits they looked like people, and they hunted, ate, played flutes and made love in the usual way — except that they were so tapu they ate their food raw, and they were frightened of fire.

They differed from human beings in that their skins were white. They were very beautiful, and they occasionally took human lovers, visiting them in their houses at night. But they resented intruders and sometimes punished them.

On Mount Puke-more, in the lower Waikato, some huntsmen led by Te Kanawa encountered the fairies one night. At first they were terrified, though they were protected by their camp-fire, but Te Kanawa placated the fairies by offering them his tiki, his greenstone ear pendant and his shark-tooth ear pendant. The fairies took the forms or shapes of these treasures and left the substance.

This story was told in 1853 by Te Wherowhero, a leading rangatira of the Waikato peoples who later, as Pōtatau, became the first Māori king.

A greenstone tiki.

Te kitenga a Te Kanawa i te patupaiarehe

KO TE TANGATA i kite i te patupaiarehe ko Te Kanawa. I kitea e ia ki Te Puke-more — kei Waikato tēnei puke.

I haere a Te Kanawa ki reira ki te whakangau kiwi. Ka tae ia ki taua wāhi, ka ahiahi; ka tahuna te ahi hei rama mo rātou, ka pō hoki. Ko te rākau i moe ai ia he rākau nui, kotahi anō te rakau; i mōhio hoki ki te pai o taua wāhi, ko ngā paiaka hei moenga mōna, ko te ahi i waho.

Kīhai i roko ahiahi, ka rongo i te reo, me he reo tāngata nei: te reo wāhine, te reo tāne, te reo tamariki, koia ānō kei tētahi ope nui. Na, ka mōhio he patupaiarehe, ka wehi hoki — kei whea hoki he rerenga i runga hoki i te maunga, i te pō hoki?

Nāwai, ā, ka tata noa mai hoki, ka tata mai ki te taha o te ahi; ā, ka mate noa iho rātou i te wehi. Ka āhua mai ki te mātakitaki i a Te Kanawa, he tangata pai hoki. Ko ngā patupaiarehe e whakataretare iho ana i runga i ngā paiaka o te rākau e moe nei rātou, kia kite i a Te Kanawa; e mātakitaki ana, ko ngā hoa kua mate noa ake. Na, ka mārama te ahi, ka neke atu ki tahaki; ka iti te mura o te ahi, ka tata tonu. E waiata ana hoki tērā:

Kake mai koe na Tirangi
Ki te hoko 'Āti Puhi —
Ka whano, ka hurihia!

Kātahi ka mahara a Te Kanawa ki tōna hei, ki te tara, kātahi ka wetekina. Na, parau noa a Te Kanawa, kua mate noa iho i te wehi. Kīhai i rere mai te patupaiarehe ki runga ki te tāngata, engari e tata tonu mai ana ki te titiro atu. Kātahi ka wetekina te hei, te tara, te makao; ka horahia atu, ka hoatu ki te mano e noho mai ra. Ka poua ki te rākau, ka whakanoia taua hei me ngā whakakai.

Ākuanei i te mutunga o te waiata ka tangohia e te patupaiarehe te āhua o ngā whakakai, e mau ana i ngā ringaringa o tēnei, o tēnei, o tēnei; te haerenga hoki, te whakarērenga iho, ngaro noa.

Ko te ata, ko te āhua hoki o ngā taonga i riro i a rātou; ko te hei, ko ngā whakakai i mahue tonu iho, ka riro mai anō i a ia. Na ērā i ngata ai te ngākau o taua iwi, o te patupaiarehe; i kite hoki he whakaaro pai tōna. Ao ake te rā, ka hoki iho; kīhai i mahi.

He mano te patupaiarehe, kei te tarakihi; ko te āhua he āhua tangata, pēnei me te āhua Pākehā. Ko te kiri i mā, he kōrakorako te māhunga, me te kiri katoa he kōrakorako; i poka noa ake hoki, kīhai i rite ki te tāngata Māori.

Kīhai anō i tae mai te Pākehā, ka mate a Te Kanawa.

How Te Kanawa saw the fairies

THE PERSON WHO saw the fairies was Te Kanawa. He saw them on Te Puke-more — that mountain is in the Waikato.

He had gone there to hunt kiwi with his dogs. He reached the place in the evening and they lit a fire to give themselves light, since by now it was dark. The tree where he was lying was a big one, there on its own. They were glad to have such a good spot, with the roots to lie between and the fire beyond.

No sooner had evening come than they heard voices like people's voices: the voices of women, men and children, as if there were a great party of travellers. Now they knew it was the fairies and they were very frightened, for where could they run, there on the mountain in the darkness?

After a while the fairies came closer, then closer still, right up beside the fire; Te Kanawa and his companions were very much afraid. The fairies crowded round to gaze at Te Kanawa, who was a magnificent figure of a man; they craned forward to look over the roots of the tree where the men were lying. They were gazing at him, and his companions were nearly frightened to death. When the fire blazed up they would go back a little, then when its glow died down they would come very close. They were singing a waiata:

You're climbing up Tirangi
To the multitude of 'Āti Puhi —
You're going to be turned back!

So then Te Kanawa remembered the tiki he wore round his neck and the greenstone pendant in his ear, and he unfastened them. He was desperately afraid, half dead with fear. The fairies didn't rush to attack the men, they just kept coming close to look at them. So then Te Kanawa unfastened his tiki, his greenstone ear pendant and his shark-tooth ear pendant. He spread them out, and he presented them to the multitude crowding around him. He put a stick in the ground, and he hung the tiki and the ear pendants upon it.

Soon, when they had finished their song, the fairies took the forms of the pendants and passed them around from hand to hand. Then they suddenly disappeared, and nothing more was seen of them.

The shapes and forms of the treasures were taken by the fairies, but the tiki and the pendants themselves were left behind, and Te Kanawa took them away again. With these treasures he had satisfied the hearts of the fairy people, showing he was well disposed towards them. At sunrise he went back down the mountain. He didn't go hunting there.

The fairies were a very numerous people, as numerous as cicadas. In appearance they were just like people — like Pākehā. Their skins were white, and they had pale hair; their whole bodies were pale. They were quite different from normal people, not at all like Māori people.

Te Kanawa died before the Pākehā came to this country.

2 *The fairies of Moehau*

ONE OF THE places most frequented by the patupaiarehe was Moehau, the mountain at Cape Colville on the Coromandel Peninsula. We are told that Moehau was so tapu that few people dared approach it, but that those who did 'had wonderful stories to relate of seeing fairy-forts made of interlaced supplejack, and of finding plantations of gourds. If anyone attempted to lift one of these gourds it was found to be too heavy to move.'

Moehau was tapu because of the fairies' presence and also because it is the burial place of Tama-te-kapua, an early ancestor believed to have captained the Arawa canoe during its voyage from the homeland of Hawaiki. It was apparently thought that the presence of Tama-te-kapua on the mountain claimed it for human beings and so lessened the power of the fairies.

The unknown author gave this account to George Grey, the governor of the country, probably when Grey visited the region in 1849. It is entitled, in a different hand, 'the origin of mana of Thames tribe' — Thames being then the European name for the Hauriki and Coromandel districts. Each tribe possesses a tapu mountain with which its mana, its power and status, is identified. In this region, the tapu mountain is Moehau.

At the end of his story the writer pays an ambiguous compliment to Governor Grey. He implies that Grey has such mana that it might be possible for him to ascend the tapu mountain — an act which would, however, destroy much of its tapu.

Te patupaiarehe

E HOA, HE pono anō tēnei hanga te patupaiarehe, mai anō i mua, i a Tama-te-kapua e ora ana. Koia te kaupapa o taua hanga, ā, no tana matenga, kāhore he nohoanga mo rātou. I tanumia hoki a ia ki Moehau, ā, kei reira te tino pūkenga o taua iwi i a tāua e noho nei. Tēnā anō te ana ōna e tanu nei kei te tihi o Moehau; te tohu, he korau nui whakahara-hara.

Tēnā, i noho kaupapa-kore taua iwi, ā, taea noatia ngā rā o tēnei iwi o Ngāti Rongou (arā, o Ngāti Rongoi), ka waiho te rangatira o taua hapū, a Mata-tahi, hei kaupapa.

Ā, ka haere ētahi o ngā tāngata o taua hapū ki te patu poaka i Moehau; ko te takiwā tēnei o mua i a Ngāti Paoa, i a Ngāti Maru kīano i nui noa. Na, ka haere taua hunga, ā, ka tae ki taua rākau nei, he rewarewa, e mau ana koā te puku i taua rākau. Na, he tahā nei; ā, ka pōutokia e taua hunga, ka motu, [ka] taunaha [taua] ipu ma rātou.

Ā, ka haere atu, ka tae ki taua wāhi i te ara e ārai mai ana te ara i te kareao; ko te kareao e tupu ana anō, otiia he mea whakapiko e rātou, e te patuparehe — arā, e te patupaearehe — hei tāepa, arā, hei nohoanga mo rātou. Ko roto o taua tāepa he raurēkau, he otaota, he aha, he aha, hei nohoanga.

Ka haere tau[a] tokorima, ā, ka mau tā rātou poaka, he poaka ngako. Ā, ka pōutokia, ka motu ma tēnei, ma tēnei. Ā, ka whakawahaa mai; ā, ka tae mai ki te tahā i taunaha ra, ka pīkaua e tētahi o rātou.

Ā, kīhai i mataara mai. Ka noho, ka okioki i te taimaha, ā, ka nuku mai, ka okioki anō. Ka karanga atu ngā hoa, 'E hoa, kia horo mai!'

Calabashes are gourds that have been hollowed out and dried. They were used for storing water, oil and potted game.

12

Ka mea ake tērā, 'E pā mā, he taimaha no taku pīkaunga.'

[I] te mōhio te tangata ra e pēhia ana a ia e te parehe, otiia kīhai rātou i kite i aua hanga ra, no te mea he wairua; e riri ana hoki rātou mo tā rātou tahā i tapahia mai ra. Kātahi ka mahue taua tahā ra, ā, tae rawa atu taua tokorima ki te kāinga.

Kua pōuri. Whakatarea ana tā rātou poaka; he poaka mōmona taua poaka. Tēnā, e ao ake te rā, ka taona taua poaka e rātou. Ā, no ka hukea te hāngi, he hāwareware kau anō: kāhore he kiko, kāhore he aha. Kātahi ka mōhiotia e rātou, na te parehe i kino ai mo tā rātou tahā i pōutokia ra.

Ā, ka pō, ka tae mai aua parehe ki te kāinga o taua iwi ra, o Ngāti Rongoi, ā, tōia ana te tangata ki waho nāna i waha mai taua ipu. Ka nui hoki te kaha o taua iwi parehe. Ka pupuri taua tangata ki te rākau, mahua katoa taua rākau; ka mau anō he rākau, ka mahua anō. Kawea ana e rātou ki te wai, rumakina ana, ka mate. Ka hokia anō e rātou ki te kāinga, patua ana te tokowhā, ka mate.

E hoa, kei kī e noa ana i Moehau; kāore, e tapu tonu ana te tihi. Kāhore anō i taea e te tangata o muri mai o Tama-te-kapua. Engari pea, ma Kāwana Kerei e taea ai.

The fairies

THE FAIRIES DO exist, my friend, and they have done so since the early days, when Tama-te-kapua was alive. The reason for their hostility was that from the time of his death there was no place for them to live. Because Tama-te-kapua was buried on Moehau, and right down to the present day this has been the place most treasured by the fairies. His burial cave is there on the peak of Moehau. An enormous black tree fern marks the spot.

All the same, those people had no quarrel with us until the time of this tribe of Ngāti Rongou (who are also known as Ngāti Rongoi). Then Mata-tahi, the rangatira of that hapū, gained their enmity.

Some men from the hapū went pig-hunting at Moehau (this district used to belong to Ngāti Paoa before Ngāti Maru became so numerous). They set off, and they came to a tree, a rewarewa, with something round attached to it. It was a calabash. The men cut it down and claimed it as their own.

They went on, and they came to a place where the way was blocked with supplejack. The supplejack was still growing, but it had been bent round by the fairies to make an enclosure, a place where they could live.

Inside the fence there were rangiora and all kinds of small plants, where they had their home.

The five men continued on, and they caught their pig, a fat one. They cut it up and they divided the pieces amongst them, carrying them on their backs. When they came to the calabash they had claimed, one of them took it on his back.

Soon he wasn't able to stay awake. He sat down and rested because of the weight, then went on, then rested again. His companions called to him, 'Hurry up, friend!'

He said, 'Friends, it's because my load is so heavy.'

He knew it was the fairies that were weighing him down, but the men couldn't see those creatures, because they were wairua; they were furious because their calabash had been cut down. So then they left the calabash there, and in the end the five of them reached their village.

By this time it was dark. They hung up their pig — it was a fat one. And next morning they cooked the pig, then when the oven was opened there was nothing but skin and bone, no flesh at all. So then they knew the fairies were persecuting them because of the calabash they had cut down.

When night fell, the fairies came to the village of those people, Ngāti Rongoi, and they dragged out the man who had carried the calabash. Those fairy people were very strong. The man held on to a tree, but it was pulled right out of the ground. He took hold of another tree, but it was pulled from the ground as well. They carried him to the water, and they drowned him. Then they went back to the village and they attacked and killed the other four men.

My friend, don't think that Moehau is now free from tapu — no, the peak is still tapu. No man since Tama-te-kapua has ever attained that peak. Perhaps, though, Governor Grey will do so.

3   *Kahu-kura's net*

THIS STORY TELLS how Kahu-kura tricked the fairies into abandoning a fishing net, and learnt from it how nets are made. He found the fairies at Rangi-aowhia (or Rangi-awhia), in the Far North. On the beach there, he saw that some fishermen had been at work during the night and realised they must have been fairies. So the following night he joined the fairies as they hauled in their big seine net. At first he was undetected, and he managed to delay them until it grew light, and they fled in confusion. From the net they left behind, Kahu-kura taught himself the techniques used in knotting meshes.

Seine nets were enormous, sometimes 1000 metres in length. They were taken out on a canoe, or two canoes lashed together, and as many as 500 people might be required to haul them in. The fishermen had to watch carefully for rocks which could snag the net. In the sandy bay near Rangi-aowhia the two rocks known as Tawatawa-uia and Tewetewe-uia, which the fairies speak of in this story, used to be shown to visitors as proof that these events had really occurred.

Rangi-aowhia is in the region now known as Doubtless Bay. The story was recorded by an unknown writer some time before its publication in 1854.

Te kitenga a Kahu-kura i te patupaiarehe

HE HAERENGA NO Kahu-kura ki Rangi-aowhia; kei raro tēnei kāinga, kei a Te Rarawa. Ka noho taua tangata ra, ā, ka minamina tōna ngākau ki te hāereere ki taua wāhi. Kātahi ia ka haere.

Ka tae ki Rangi-aowhia, ka kite ia i te tuakitanga tawatawa; e takoto ana te puku i waenga one. Ka mātakitaki te tangata nei, hua noa na te tangata māori. Kātahi ia ka āta titiro i te takahanga. No te pō noa atu tēnei mahinga, ehara i te ata nei — arā, ehara i te mahi awatea.

Ka kī taua tangata nei ki a ia anō, 'Ehara i te mahi tāngata māori; na te atua tēnei mahinga. Mehemea na te tāngata, e kitea te whāriki o te waka.'

Kātahi ia ka mōhio, na te atua — arā, na Patupaiarehe.

Mātakitaki tonu taua tangata, ā, hoki ana ki tōna kāinga. Ko tōna ngākau kīhai i wareware ki tana mea i kitea ai hei taonga mōna, arā, hei whakakite māna ki ia tangata, ki ia tangata — kia waiho ai ia hei tauira.

Ā, i te pō, kātahi ia ka hoki mai ki taua wāhi anō i kitea ra e ia.

Pono tonu mai, kua eke mai a Patupaiarehe ki te hao tawatawa; e karanga ana ki te kupenga, e hoea ana te waka ki te tiki i te waka o te kupenga. Ko te kupenga e tukua iho, na, ka pā te karanga, ka mea, 'Tukutukua i Rangi-aowhia, whakaeaea i Te Mamaku!'

Ka karanga anō, 'Tukutukua i Rangi-aowhia, whakaeaea i Te Mamaku!'

Ko ēnei kupu he whāwhāpū na Patupaiarehe, he koanga na ō rātou ngākau ki te ika ma rātou. E kume ana te iwi nei i tana kupenga, ka uru a Kahu-kura ki roto i a rātou kume ai. Ko taua tangata i rite tonu ki a Patupaiarehe te mā o te kiri; na reira i ngaro ai.

Ā, ka tata ki uta te kupenga, kātahi ka karanga, ka mea, 'Haere i waho, kei mau i Tawatawa-uia, a, Tewetewe-uia!'

He kōhatu kei waenganui o te one e tū ana.

E kume tonu ana te nuinga, ko Kahu-kura anō kei roto i a rātou. Kāore anō i tukua noatia te ika o te huka ki uta. Ko Kahu-kura, kāore anō i kitea noatia, no te mea i rite ki a rātou te kiri te mā.

Ā, ka tākiri te ata, kātahi anō ka tukua mai te ngohi o te huka ki uta. Kātahi anō ka huri te patupaiarehe ki te tango i ngā ngohi ki uta, ka eke hoki te kupenga ki uta. Kāore e pēneitia tāna ika me tā te tangata māori nei e tuhaina. He mea huri noa iho ki te tui — me te tui, me te karanga, 'Tēnei, pokurua mai, keiwhā kōwatawata te rā.'

Me te tui anō i te ika.

Ko Kahu-kura e tui ana; ko te pona o te tui a Kahu-kura, he mea tītorea te pona. Ā, ka pau te tui te whakaeke ki te ngohi, ka hāpainga te tui, e kore e roko-hāpainga; ka horo anō ngā ngohi ki raro. Ka tahuri mai anō tērā ki te tui, ka haere mai anō ki te pona i te tui a Kahu-kura; ka mau te pona, pahemo rawa ake te kai-pona. Te maunga atu anō a Kahu-kura, wetekina ake anō, tītoreatia ake anō te tui. Ka tui anō, ā, ka maha, ka hāpainga anō e Kahu-kura, ka warea anō ki te tui.

Nāwai, ā, ka awatea, ka kitea te kanohi o te tāngata. Ka kite i a Kahu-kura, kātahi anō ka whati; ka mahue ngā ika, ka mahue te kupenga, ka mahue ngā waka — ko ngā waka he kōrari. Heoi anō, ka whati tērā Te Patupaiarehe ki tōna kāinga, ka mahue te kupenga — ko te kupenga he wīwī. Heoi anō, ka whati tērā Te Tahu-rangi — ko te rua tēnei o ngā ingoa o tērā iwi.

Kātahi anō ka kitea te tā o te kupenga. Ka mahue iho te kupenga nei, ka riro mai i a Kahu-kura hei tauira māna, ka akona e ia ki ana tamariki. Na reira i mōhio ai ngā tūpuna o te tāngata Māori ki te tā kupenga, ā, mohoa noa nei.

16

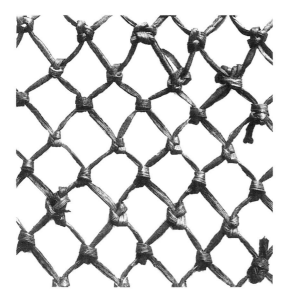

There were many different kinds of nets, large and small.

How Kahu-kura saw the fairies

A MAN CALLED Kahu-kura once went on a journey to Rangi-aowhia, a place in the north that belongs to Te Rarawa tribe. While he was living at his home, he felt a strong desire to visit that place. So he set off, and he reached Rangi-aowhia.

Then he saw where some mackerel had been gutted; the entrails were lying on the sand. The man gazed at them, thinking that human beings had done this. But when he looked more carefully at the footprints, he saw they had been made a long time ago during the night, not in the morning. This was not something done in the light of day.

And he thought to himself, 'This hasn't been done by humans, it's the work of spirits. If they were men, I would see the grass they had been sitting on in their canoes.'

So then he knew this had been done by spirits — that's to say, by Fairy.

The man gazed at the place for some time, then he went back to the village where he was staying. His heart did not forget this thing he had discovered, because he had found something that would be a treasure for him, something he would make known to all men; he would give it to them to copy.

When night came, he went back to the place he had discovered and he found that Fairy had landed there to net mackerel. Some of them were shouting for the net, and one of the canoes went out to fetch the canoe with the net. Then they let down the net. They were calling as they did so, 'Let it down at Rangi-aowhia, haul it in at Te Mamaku!'

Again they called, 'Let it down at Rangi-aowhia, haul it in at Te Mamaku!'

These words were their song of joy, for their hearts rejoiced when they thought of the fish they would get.

When these people began hauling in their net, Kahu-kura joined them and hauled on it too. He was just as fair-skinned as the fairies, so they didn't notice him.

When the net was near the shore, they called, 'Some of you go out into the sea, or it'll get caught on Tawatawa-uia and Tewetewe-uia.'

These are rocks in the middle of the beach.

The others kept on pulling, with Kahu-kura among them. The first fish had not yet come ashore on the waves driven before the net, and Kahu-kura had not yet been discovered by the fairies, because his skin was as fair as theirs.

As the first light of dawn appeared, the fish began coming ashore. So then at last the fairies began carrying them up the beach, and they brought the net up too. They didn't share out the fish as humans do. They took whatever they wanted, putting them on their cords and calling, 'Come on, throw them here, before the sun rises!'

They kept stringing their fish together.

Kahu-kura was stringing them as well, but he was using a slip-knot. When his cord was loaded with fish he lifted it up, and it didn't hold together — all the fish fell off. He started putting them on again, and a fairy came and tied the knot for him, then went off. Afterwards Kahu-kura took the cord and untied the knot, turning it into a slip-knot. Again he strung his fish together. When there were a lot on the cord, he lifted it up — and again the fairies were kept busy knotting it for him.

After a while it grew quite light, and men's faces could be seen. They discovered Kahu-kura and they fled, leaving behind the fish, the net and the canoes — the canoes were made from the flower stalks of flax. Well then, the fairies fled to their homes, leaving behind their net — the net was made from rushes. Well then, the Tahu-rangi fled — this is another of their names.

And for the first time, people learnt how to weave nets. Because the net was left behind, and Kahu-kura took it and used it as a pattern, and he taught his children. This was how the ancestors of the Māori learnt how to make nets. That knowledge has been passed on down to the present day.

4

The fairy who
stole a human wife

THIS STORY WAS told to a missionary in 1866 by a Waikato woman named Hariata, who explained that the fairy man lived in the dense forests of Mount Pirongia, in the upper Waikato. It is a very popular tale. In one version, Rua-rangi is said to be the founder of Ngāti Rua-rangi, a section of the tribe of Ngāti Hāua.

Fairies ate only raw food, as cooked food would have threatened their tapu. So Rua-rangi is sometimes said to cook food in order to frighten away the fairy. And sometimes his wife, who has become very tapu and confused through living with the fairy, is rescued when he throws cooked food at her to break her tapu. In the following version, though, the scent of cooking pork attracts the woman, and she recognises it as coming from Rua-rangi and the human world. (The pork is an addition to the original tale, as pigs had been acquired through contact with Europeans. So had guns and iron pots, which Rua-rangi is said to possess.)

Mount Pirongia, famous as a home of the fairies.

To defeat the fairy, who is very powerful, Rua-rangi afterwards paints red ochre on his house and marae. Red ochre was usually painted on carvings and important buildings, also sometimes on people's faces, so was closely associated with human power and high status. It must be for this reason that the fairy cannot approach it.

Rua-rangi, however, has left the ridgepole of the house unpainted so as to provide the fairy with a means of escape. Because the ridgepole and roof were closest to the sky, they were regarded as a point of contact with supernatural beings. In Māori folklore, fairy visitors returning to their homes are usually described as standing upon a roof before disappearing up into the sky. The ridgepole was also, for this reason, the place visited by spirits in séances (and, therefore, the place where Rua-rangi's son comes in the night to counsel him).

Before he goes, the fairy sings a song of farewell. The persons mentioned in the last lines of his song are fairy rangatira.

He kōrero patupaiarehe no Pirongia

TĒRĀ HE TANGATA, ko Rua-rangi te ingoa, ko Tawhaitū te ingoa o tana hoa. Ko rāua anake e noho ana i tō rāua kāinga; tokorua tahi ā rāua tamariki. I mate tētehi o ā rāua tamariki, ka noho rāua i tō rāua kāinga; ko te mahi a Rua-rangi, he haere ki te pupuhi manu.

Na, ka haere mai te patupaiarehe ki te kāinga, na, rokohanga mai ko te tamaiti me te whaea e noho ana; na, ka tangohia te whaea e te patu-paiarehe. Te hokinga mai o Rua-rangi, kua riro. Ka pātai ki te tamaiti, 'Kei whea tō whaea?'

Ka kī, 'Kua riro.'

Ka nui tōna pōuri, ka tangi rāua ko tāna tamaiti. Na, i te pō ka puta mai te wairua o te tamaiti i mate, i runga i te tāhuhu o te whare. 'E tangi ana kōrua ki te aha?'

Ka kī, 'Ki te whaea kua riro.'

Ka kī, 'Kāti te tangi; māku e kōrero he tikanga.' Ka kī, 'Haere koe, ka tae ki te awa tuatahi, ki te awa tuarua, ā, ki te awa tuatoru, me noho koe ki reira, me tahu he ahi. Na, ka hopu he poaka, ka whiu ki runga ki te ahi.'

Ā, haere ana a Rua-rangi, tae ana ki te awa tuatahi, ki te awa tuarua, tae ana ki te awa tuatoru. Noho ana i reira, ka tahu [i] tōna ahi kia nui noa atu. Ka hopukia e ia he poaka, ka whiua ki runga ki te ahi. Ko te paoa o te ahi, haere ana ki roto ki te ngahere, me te piro o te poaka.

Ka rongo a Tawhaitū i te piro ahi, ka mihi ia, ka mea, 'Āe, kei whea tēnei auahi? Na Rua-rangi pea.'

Kātahi ia ka whai mai i te kakara o te ahi, ā, tae mai ana ki a Rua-rangi. Ka hoki rāua ki te kāinga, ka kī a Tawhaitū ki a Rua-rangi kia kaha te pupuri i a ia, mea ake ka puta mai anō te patupaiarehe.

Kīhai i roa, puta mai ana te patupaiarehe; tangohia ana ia, e riro ana. I te pō ka tangi anō a Rua-rangi rāua ko tāna tamaiti. Ka hoki mai anō te wairua o te tamaiti, ka pātai anō, 'E tangi ana kōrua ki te aha?'

Ka kī, 'E tangi ana māua ki a Tawhaitū, kua riro anō.'

Ka kī, 'Kāti te tangi. Me haere anō koe, ka tae koe ki te awa tuatahi, tuarua, tuatoru, ka tae koe ki reira, ka tahu anō i te ahi; me hari e koe he kōhua, he kīaka. Ka tae koe ki reira, patua anō he poaka, hunuhunua; ka mutu te hunuhunu, kōhuatia. Ka haere ki roto ki te awa ki te keri kōkōwai; ka mutu, ko te hinu o te poaka, me tahutahu me te kōkōwai, me whakakī ki roto ki te kīaka, ka hari mai ki te kāinga.'

I a ia e mahi [ana] i tērā, ka tae anō te paoa ki a Tawhaitū. Ka mihi anō ia, ka kī, 'Na Rua-rangi pea tēnei auahi.'

Ka whai mai anō ia, ka tae mai ki a Rua-rangi. Ka mahi rāua i ngā kōkōwai, ka kī kia hohoro, kei rokohanga e te ahiahi.

Ka wahaa e rāua ngā kōkōwai. Te taenga atu ki te kāinga, ka pania katoatia tō rāua whare me te marae o te whare ki te kōkōwai. Ko te tāhuhu o te whare anake i toe.

Te putanga mai o te patupaiarehe, tū ana ki tahaki; nui ana tōna wehi i te kōkōwai. Ka haere i tahaki ki te kimi huarahi mōna e tae ai ia te haere ki te whare. Kāore i kite. Engari, i whakahingaia e ia he rākau kia paki i te tāhuhu o te whare, ā, piki ana na reira. Te taenga, kāore he putanga mōna ki roto ki te whare.

Heoi anō, ka waiata i tōna waiata, ka mea:

Kāore te raro nei te pēhi whakarunga!
Torona e au te tau o Tireni,
Whakatata rawa mai ka murimuri aroha.
Kei Pirongia ra ko te iwi tauwehe;
E wāhi rua ana ko Tiki, ko Nuku-pore,
Ko Tapu-te-uru-ra, ko Ripiroaiti,
Ko Whanawhana, ko au, ko Te Rangi-pōuri!

A fairy story from Pirongia

ONCE THERE WAS a man called Rua-rangi; Tawhaitū was the name of his wife. The two of them lived at their home on their own, and they had just two sons. When one of their sons died, they went on living there. Rua-rangi spent his time shooting birds.

Now a fairy came to their home, and he found the mother and son inside; he seized the woman, and he carried her off. When Rua-rangi came back, she was gone. He asked his son, 'Where is your mother?'

He said, 'She has been taken away.'

Rua-rangi was overcome with grief, and he and his son wept together.

That night the spirit of the dead son appeared on the ridgepole of the house. 'Why are you weeping?'

They said, 'For our wife and mother, who has been taken away.'

He said, 'Do not weep any more. I will tell you what you must do.' Then he said, 'You must keep on going till you have reached the first river, the second river and the third river. Stay there and light a fire, then catch a pig and throw it on the fire.'

So Rua-rangi set off, and he reached the first river, the second river and the third river. He stayed there and lit a fire, building it up into a great blaze. Then he caught a pig and threw it on to the fire.

The haze from the fire drifted through the forest, bringing with it the fragrant aroma of pork. Tawhaitū smelt the smoke, and she greeted it with tears, saying to herself, 'Where can this smoke be from? Perhaps it is from Rua-rangi.'

So she followed the fire's appetising smell, and in the end she came to Rua-rangi. They went back home, and Tawhaitū told him he must guard her closely because the fairy would soon return.

Before long the fairy appeared; he seized Tawhaitū and carried her off. Again Rua-rangi and his son wept together in the night, and again the spirit of the dead son came and asked, 'Why are you weeping?'

They said, 'We are weeping for Tawhaitū — she has been taken away again.'

He said, 'Do not weep any more. You must go again, and when you have reached the first river, the second river and the third river — when you reach that place, light another fire; take a cooking pot and a calabash with you. When you reach that place, kill another pig and singe it on the fire. When you have done this, cook it in the pot. Go to the river and dig for red ochre, then cook the pig's fat with the red ochre. Fill the calabash with the mixture, and bring it back home with you.'

While he was doing this, the haze reached Tawhaitū again. And again she greeted it with tears, saying, 'Perhaps this smoke is from Rua-rangi.'

She followed it once more, and she came to Rua-rangi. Then they dug the red ochre. She told him to be quick, or evening would overtake them.

They carried the red ochre home on their backs. Then when they reached their home, they painted all of the house and its marae with the red ochre. Only the ridgepole of the house was left unpainted.

When the fairy appeared, he stood a short distance away, very much afraid of the red ochre. Then he came closer, and tried to find a way of entering the house. He couldn't do so. But then he felled a tree, leant it against the ridgepole of the house, and climbed up it. He reached the top, and he found there was still no way for him to enter the house.

Well then, he sang his waiata. It was this:

Oh how the north wind presses to the south!
I sought out Tireni's darling
And now my heart is full of sorrow.
The banished people are at Pirongia.
Tiki, Nuku-pore, Tapu-te-uru-ra,
Ripiroaiti, Whanawhana and I, Te Rangi-pōuri,
Are living apart.

5   *Ha-tupatu and the bird-woman*

WHEN THE ANCESTORS of the Rotorua tribes arrived on the Arawa canoe from the homeland of Hawaiki, some of them set out to explore the land. Among these men were three brothers, Ha-nui, Ha-roa and Ha-tupatu, who made their way inland to the ranges between Lakes Rotorua and Taupō and spent some months hunting birds there.

All this time, Ha-tupatu, the youngest brother, was given only thin, scrawny birds to eat. So one day when his elder brothers were absent, Ha-tupatu ate some of the fine birds they had preserved in calabashes. Then he pretended a war party had taken them.

At first his brothers believed him, but Ha-tupatu kept repeating this trick until in the end they realised what had happpened. So the enraged brothers killed Ha-tupatu, then buried him in a heap of the feathers they had plucked. Afterwards they went back to Rotorua.

They told their parents they had not seen their young brother, but the parents, suspecting the truth, sent an ancestral spirit to search for him. This spirit took the form of a blowfly. It found where Ha-tupatu lay buried, and it performed magic that brought him back to life.

So then Ha-tupatu set out alone through the forest. And on his way he met Kura-ngaituku, a giant woman with wings like a bird, lips like a beak, and long claws. Some storytellers say she was a patupaiarehe, a fairy. She kidnapped Ha-tupatu and imprisoned him in her cave.

Since fairies were often thought to be skilled weavers, it is not surprising that Kura-ngaituku's cave contained many fine cloaks. There were tame birds as well, and geckos — terrifying creatures which only a supernatural being would keep as pets. Before he escaped, Ha-tupatu gathered up the cloaks and killed the pets.

Kura-ngaituku pursued him with magic strides, but Ha-tupatu knew some magic too, and he hid inside a rock (which is to be seen now beside the road near Atiamuri). Then the two of them ran on again — until Kura-ngaituku made a fatal mistake as they were approaching Rotorua, and fell into the boiling springs at Whakarewarewa.

The rest of the story tells how Ha-tupatu returned to his family home on Mokoia Island, subdued his brothers, then set out to attack Raumati, the enemy rangatira who had burnt the Arawa canoe which had brought their people from Hawaiki. This he successfully did, despite the attempts of his jealous brothers to prevent him.

The writer is Te Rangikāheke of Ngāti Rangiwewehi, who lived on the northern shores of Lake Rotorua. The section of the story which is published here concerns the hero's encounter with Kura-ngaituku.

Ko Ha-tupatu rāua ko Kura-ngaituku

KA HAERE MAI, tūtaki ana i taua wahine nei e wero manu ana māna. Ko tāna here ko ōna ngutu tonu, ko tā Ha-tupatu he here anō; wero atu ai te wahine ra i ōna ngutu, ehara, kua tū i te tao a Ha-tupatu. Haere rawa ake, ka oma taua tangata, ka mau i te wahine ra. E kore hoki e hohoro i taua wahine; ko ōna waewae hei kawe, ko ōna pākau anō kei ōna ringa anō, i pēnā me ō te manu. Ā, haere mai ana ki te kāinga o te wahine ra, moe ana rāua.

Ko te kai a tērā wahine he ota tonu; hōmai ngā manu ma Ha-tupatu, ko te ata kau e kawe huna iho. I te ata ka whātika te wahine ki te wero manu, ka noho a Ha-tupatu i te kāinga. Ka hemo atu, kei te tunu kai māna, me te titiro ki ngā taonga o te ana kōwhatu o te wahine ra: ki te māipi, ki te kākahu kura, whero, pūahi, kaitaka, me te whakamātautau, me te titiro ki ngā mōkai ngārara, kōriroriro, aha, aha noa iho.

Pēnā tonu i ia rā, i ia rā, tae noa ki tētahi rā. Ka mea atu a Hā, 'Haere koe ki tawhiti, ki te pae tuatahi, tuarua, tuangahuru, tuarau, tuamano, hei reira koe mahi manu ai ma tāua.'

Āe ana mai, haere ana; noho ana ia, tunu manu ana māna, me te whakaaro, ā, ka tawhiti atu, ka rite ki tāna i mea atu ai. Ka tango i te kahu whero, i ngā kahu kura, i ngā pūahi, kaitaka, i te māipi — ānō taua māia, ka oria e te hau! Te makanga atu o te māipi ki ngā ngārara, ki ngā mōkai katoa, kua mate; te panganga atu ki te pae miromiro, mate ana te nuinga.

Ora ana kotahi, haere ana ki te tiki i te wahine ra — ko te ingoa ko Kura-ngaituku.

Ko ngā kupu ēnei a taua manu i karanga haere atu ai. 'Kura-ngaituku ē! Ka kino te whenua, ka kore ā tāua taonga!'

'I a wai?'

'I a Ha-tupatu! Riroriro rawa!'

Ā, tae noa atu, ka rongo a Kura-ngaituku, ka hoki mai. Ko tā Kura tēnei — ko tāna karanga i tōna hokinga mai:

Kūmea, whārōna, kūmea, whārona!
Ina anō koe, e Hā na, ina anō koe, e Hā na!
Kūmea, whārōna, kūmea, whārōna!
Ina anō koe, e Hā na!

E toru āna whārōnatanga, kua tae ki te ana. Tae rawa atu, tirotiro kau ana. Ka aratakina anō e taua miromiro:

Kūmea, whārōna, kūmea, whārōna!
Ina anō koe, e Hā na, ina anō koe, e Hā na!

Ka mau taua māia. Ka mea a Hā ka mate ia, ka whakahua ia i tāna kupu, 'Te kōwhatu nei, ē, matiti, matata!'

Kua matata, kua ngaro ia. Kimi kau te wahine ra, ā, puta noa atu i tawhiti, e karanga noa ana,

Ina anō kōe, e Hā na, ina anō koe, e Hā na!

Me te poko, aua noa atu. Ka puta ake a Hā, ka haere.

Pēnā tonu, pēnā tonu, i te roa o te ara, ā, tae noa ki Rotorua. Te taenga atu ki te ngāwhāriki, mate noa iho. Hua noa he wai mātao — anā, kua wera!

Noho ana i te ākau o te moana. Ka ahiahi, kātahi ka ruku atu i te wāi, whiti atu ko te motu i Mokoia.

Ha-tupatu and Kura-ngaituku

AS HA-TUPATU WAS making his way along, he met this woman who was spearing birds for herself, using her own lips as a spear. Now Ha-tupatu had a spear as well. It happened that the woman speared a bird with her lips, and at the same moment he speared it too, and his spear stuck in her lips. She rushed towards him, and he fled. But the woman caught him. He couldn't escape, because her legs bore her along, and on her arms there were wings like a bird's wings. They went to the woman's house and they slept there.

The woman's food was all quite raw. She kept on giving Ha-tupatu birds to eat, but he only pretended to eat them and he hid them instead. Every morning the woman went out bird-spearing, and Ha-tupatu stayed at home. While she was gone he roasted birds for himself, and he looked at all the treasures in the rocky cave where she lived. There were taiaha, and there were red kākā-feather cloaks, yellow dogskin cloaks, cloaks sewn from strips of dogskin, and kaitaka cloaks. He tried on all these garments, and he looked at her pet geckos and grey warblers and all the other things in her cave.

Every day this happened. Then one day Hā told her, 'You should go a long way today, to the first ridge, the second ridge, the tenth ridge, the hundredth ridge, the thousandth ridge. That's where you'll catch birds for the two of us.'

She agreed to this, and she set off. He stayed behind, roasting birds for himself and thinking that when she was far away he would do what he had planned. Then he seized the yellow dogskin cloaks, the red kākā-feather cloaks, the cloaks sewn from strips of dogskin, the kaitaka cloaks, and the taiaha — it was as though that warrior were blown about by the wind! His taiaha fell upon the geckos, the grey warblers and all the other pets, and they died. Then he thrust at the tomtits' perch, and nearly all of them died.

But one of the tomtits escaped, and it went off to fetch the woman —

Kura-ngaituku,
with the birds
and geckos, as
portrayed by the
master carver
Tene Waitere on a
meeting-house door
in Rotorua in
1905.

her name was Kura-ngaituku. These are the words the bird kept calling as it flew along. 'Kura-ngaituku, our home is ruined, our things are all destroyed!'

'Who did this?'

'Ha-tupatu, everything is gone!'

When the bird reached Kura-ngaituku at last, and she heard this, she came back. And this was what Kura was calling as she came:

Step along, stretch along, step along, stretch along,
There you are now, Hā, there you are now, Hā!
Step along, stretch along, step along, stretch along,
There you are now, Hā, there you are now, Hā!

With three strides she reached the cave. She looked around and she could see no one, but the tomtit showed her the way:

Step along, stretch along, step along, stretch along,
There you are now, Hā, there you are now, Hā!

That warrior was caught — Hā thought he would die. Then he pronounced these words. 'O rock, split and open!'

A rock opened, and he disappeared inside. The woman looked for him in vain, and soon she went on. She was still calling,

There you are now, Hā, there you are now, Hā!

She disappeared into the distance, and Ha-tupatu came out and went on.

The two of them kept on like this, all the way along the path to Rotorua. Then when they reached the hot springs, Kura-ngaituku died there. Because she thought the water was cold, but no, it was hot!

Ha-tupatu rested by the lake shore, then when evening came he dived down into the water and swam right across to the island of Mokoia.

6 *The woman and the reptile*

GECKOS WERE DREADED by the Māori as agents of evil, and were held responsible for illness and death. This was apparently because they were regarded as fish-like creatures who had lived originally in the ocean and had no proper place on land. Their anomalous nature made them uncanny and dangerous, a threat to ordinary life.

The green tree gecko seems to have been especially feared, partly per-haps because it is active by day, so was often seen. Its tree-climbing habits may have seemed especially unnatural in such an animal, and it also emits chattering sounds which were thought to be laughter. When a green gecko laughed at someone, it foretokened death for himself or a close relative. The omen could be averted only by killing the gecko, then destroying the powers which the dead creature still possessed. Sometimes these rituals involved burning the body.

The gecko in this story is spoken of as a ngārara, a reptile. There are specialised terms for the different kinds of gecko, but this general word 'ngārara' was often used, especially perhaps when its presence was felt to be particularly dangerous. This gecko is probably a green tree gecko, because he climbs a tree. He is ten spans (almost 20 metres) in length, a giant-size version of the little geckos which people encountered in reality.

It is an old story, and widely known. The gecko kidnaps a human woman and lives with her, then allows her to visit her relatives. Together the woman and her brothers plot the gecko's destruction.

The monster is delighted with their invitation to visit the village, as he badly wants to be accepted as a brother-in-law. But, in this version of the story, when the welcoming call goes out he is greeted not only as a gecko but as a fish — which to him is an insult. He is invited into a specially built house and lavishly entertained, then at last he is burnt to death.

Mohi Ruatapu, a great tohunga of Ngāti Porou, wrote this story in 1876. In the first lines, the women are said to be visiting a grove of tarata trees. The fragrant leaves and flowers of this tree, which is now often known as the lemonwood, were used to scent cosmetic oils.

Ko Te Mata-o-te-rangi

KA TŪ ANŌ tēnei. Ka noho ngā wāhine nei; te ingoa o ngā wāhine nei ko Hine-te-pipiri, ko Hine-te-kakara. Ka haere ki te uru tarata, ka piki rāua ki runga ki taua tarata ra. Tiro rawa iho rāua, ko te ngārara ra e piki ake ana! Tā rāua kitenga iho e piki ake ana, kua oma tētahi, ka mau tētahi i taua ngārara, ka mauria ki tōna kāinga.

Ka haere tētahi, ka tae ki te kāinga, ka kōrero atu ki ngā tāngata o te kāinga: 'Kua mau taku hoa i te ngārara.'

'He ngārara pēhea?'

Tāna kīnga atu: 'Ko Te Mata-o-te-rangi; ko taua ngārara he kumi.'

Kāti, mauria tonutia e taua ngārara hei wahine māna, moe ana rāua. Roa rawa rāua e moe ana, ka puta he whakaaro mo te wahine ra kia haere mai ia ki ōna tungāne. Kātahi ia ka kī atu ki tāna tāne, 'E koro e, ka haere au ki aku tungāne.'

Whakaāe ana mai te ngārara ra, 'Āe, me haere koe kia kite i ō tungāne.'

Ka haere ia, ka tae ki te kāinga, ka tangihia ia e ōna mātua, e ōna tungāne. Ka mutu te tangi, kātahi ia ka kōrero: 'I hara mai au ki te tiki mai i a koutou, kia haere ki tāku tāne.'

Whakaāe ana rātou, 'Āe, me tiki tō tāne kia haere mai ki konei.'

Kātahi taua wahine ka kī atu ki a rātou, 'E haere au. Me ā he peka ki tētahi taha, ki tētahi taha o te whare, ki te tuarongo, ki [te] roro.'

Kātahi te wahine ra haere tonu. Taenga atu, ka ui mai te tāne ki a ia, 'I tae koe ki ō mātua?'

'Āe, i tae anō ahau.'

'I pēhea mai rātou ki tō kōrero?'

Tāna kīnga atu, 'E whakaāe ana mai rātou kia haere tāua.'

Kua rekareka rawa taua nanakia ra. Hoi anō, ka haere mai rāua. Te taenga mai, ka karangatia, 'Haere mai, e te ika nei! Haere mai, e te ngārara nei!'

Ka karanga te ngārara, 'He riri pea tāu, e te taokete, ki "te ika nei", pea?'

Ka tomo te ngārara ki roto ki te whare ra. Ko taua ngārara he kumi; ko te whare, he kumi anō te roa o te whare. Tana totorohanga, rite tonu ki te roa o te whare.

Ka hoatu te kai māna; 1 000 ngā kōpae kai, kotahi anō kainga, pau katoa i te kainga kotahi. Kua kī tōna puku, kātahi ia ka moe.

The green tree gecko.

30

Tō rātou kitenga atu kua moe, ka karanga tētahi, 'Ka moe te ngārara nei!'

Kātahi anō ka tahuna taua whare ki te ahi. Na, kua wera taua ngārara ra, kātahi ka tinei ia i taua ahi. Tinei noa tōna waha, kāore i m[at]e te ahi ra; tinei noa te hiku, kāore hoki e mate te ahi ra. Ko tōna weranga i wera ai.

Te Mata-o-te-rangi

HERE IS ANOTHER story. There were once two women named Hine-te-pipiri and Hine-te-kakara. These women visited a grove of tarata trees, then while they were up in a tree they looked down and saw a reptile climbing towards them! When they saw him climbing up, one of them ran away. The other was caught by the reptile and taken to his home.

The woman who had run away went back to the village, and spoke to the people there. 'My friend has been caught by a reptile.'

'What sort of reptile?'

She told them, 'He is Te Mata-o-te-rangi. That reptile is ten spans long.'

So much for that. She had been carried off by the reptile to be his wife, and they were sleeping together. Then after they had been sleeping together for a long time, she decided to go and see her brothers. So then she told her husband, 'I should like to visit my brothers.'

And the gecko agreed to this. 'Yes, go and see your brothers.'

She set out, she reached the village, and her parents and her brothers wept over her. When the weeping was ended, then she spoke: 'I have come to fetch you, so we can go to my husband.'

They agreed to this: 'Very well, but bring your husband here.'

So then the woman told them, 'I will come. You must pile up firewood on both sides of the house, and the back and the porch.'

So then the woman set off. When she reached him, her husband asked her, 'Did you go to your parents?'

'Yes, I went to them.'

'What did they say?'

She said, 'They agree that we should visit them.'

The monster was delighted at this. Well then, they set off, and when they were approaching the village the call went out, 'Welcome, fish! Welcome, reptile!'

The reptile called, 'It seems you want to start a fight with this "fish", my brothers-in-law?'

Then the reptile entered the house. That reptile was ten spans long, and the house was the same length. When he stretched out, he was just the same length as the house.

Then they brought him some food. There were 1000 basketsful of food, and he ate them all up in a single meal. Then when his belly was full he went to sleep.

When they saw he was asleep, someone called, 'The reptile is asleep!'

Then at last they set fire to the house. Now when the reptile felt the heat, he tried to put out the fire. He kept trying with his mouth, but the fire didn't go out. Then he kept trying with his tail, but still the fire didn't go out. And so he was burnt to death.

7 *The adventures of Ruru-teina*

IN THIS STORY from the far south of the South Island, the hero, Ruru-teina (or Junior Ruru) is a youngest son who is treated badly by his elder brothers. Through luck and cunning he triumphs over his brothers and wins himself a beautiful, high-born wife.

He is then, however, threatened by an evil, repulsive woman. Te Ngārara-huarau is a lizard, a gecko, as the first part of her name indicates.

Ruru at first does not understand her true nature, but then her attendants, who are rats (as their names indicate), tell him she is an atua, a spirit. When he escapes, she tells him that on a misty day she will pursue him (since spirits travel abroad in mist or darkness). So he prepares for her visit by building a house.

When Te Ngārara comes, there is a comic interlude in which she wraps her tail around a carved image she believes to be Ruru. Earlier, she has forced the hero to eat food defiled by her scales; now she attempts to assault him sexually, and even dares touch his tapu head. But all is well, because it is really only an image she is assaulting. Te Ngārara-huarau, the enemy of human beings, is burnt to death — though two of her scales escape the fire.

The story of Ruru's encounter with Te Ngārara follows a similar pattern to the more common tale in which a male gecko kidnaps a human woman, then tries to establish a relationship with her relatives. In this case too, the gecko is burnt to death in a house built for the purpose. Two scales escape, as happens in some other versions (they were sometimes thought to turn into ordinary-sized geckos, and this is probably the idea here).

In the last episode, Ruru's story ends happily. Asked if he has won a wife, he at first denies it, then sends his mother to look in the deck-house of their canoe. There she finds Ruru's beautiful wife, whose good breeding is apparent in the fact that she has been too upset to eat (though her food, preserved birds, is of the finest). Ruru's wife is received into the village, and his elder brothers have to accept the situation.

The story is a fantasy, so it would be inappropriate to ask, for example, how Ruru's wife and her attendant could have remained hidden so long in the deck-house. The deck-house itself, though, did correspond to some kind of reality. In the southern districts a pair of single-hulled canoes were often lashed together, and a small shelter built on the platform that joined them.

The unknown storyteller told this tale to a missionary, J.F.H. Wohlers, in about 1850.

Ko Ruru-teina rāua ko Te Roronga-rahia

KO RURU-TEINA TE pōtiki. He kino no ngā tuākana ki a ia, koia tērā he kaimahi ma rātou, he tangata kōpiha kai ma rātou.

Ka noho rātou, ā, ka tae mai te rongo, kotahi anō te wahine pai, te wahine ātaahua, ko Te Roronga-rahia. Ka mea ngā tuākana kia haere rātou kia kitea e rātou taua wahine pai. Ka haere hoki a Ruru-teina, he tia ma rātou.

Ka ao ake i te ata, ka mānu te waka, ka hoe; ā, ka tae ki te kāinga i a Te Roronga-rahia. Ka waiho a Ruru, māna e pīkau te hanga o te waka ki uta, ki roto ki tētahi whare ma rātou, tiaki ai.

Ka haere ngā tuākana ki te kāinga, ki rō o te whare taka noho ai, ka meatia mai he kai ma rātou. Ā, ka ahiahi te rā, ka noho tēnei tangata, tēnei tangata ki te wahine; ka ui mārie atu, 'Ko wai Te Roronga-rahia?'

Ka kī mārie mai tēnā wahine, tēnā wahine, 'Kauraka e kōrerotia atu ki ngā tāngata: ko au tēnā, ko Te Roronga-rahia.'

Kāhore, kāhore, he mea whakakake na aua wāhine. Ko Te Roronga-rahia, kāhore ia i konā; kei tōna whare kē ia, e noho mārie ana rāua ko tōna tia.

I ngā tuākana e noho ana i rō o te whare taka, ka haere a Ruru-teina ki te tiki wai — kua mutu hoki tāna pīkau kai ki uta. Ka rokohina atu te hunga tamariki e tā pōtaka ana, ka ui atu ki a rātou, 'Kei whea te huanui ki te wai?'

Ka kī mai aua tamariki, 'Whanatu nā te roro o te whare o Te Roronga-rahia.'

Ka kī atu a Ruru, 'Koia, ko tōna whare tēnā?'

'Āe.'

Ā, ka haere tērā, a Ruru, ki te tiki wai. No te ahiahi, no te horinga o ngā tuākana ki te whare taka, ka haere a Ruru-teina ki te whare o Te Roronga-rahia. Rokohina atu e noho mārie ana, rāua ko tōna tia. Ka kōrero rāua. Ā, ka pō rawa, ka haere a Ruru ki tō rātou whare, ka takoto i runga i ngā kai. Muringa ra, ka tae mai ngā tuākana ki taua whare moe ai; kitea a Ruru-teina i runga o ngā kai e moe ana.

Ā, whēnei tonu i ngā ahiahi katoa. Ā, ka rongo a Ruru-teina i ana tuākana e kōrero ana, āpōpō rātou ka hoki atu ki ā rātou kāinga — i te atapō anō rātou mānu ai.

Na, kua aroha a Te Roronga-rahia ki a Ruru-teina. Ka ahiahi te rā, ka ārahina e Ruru te wahine rāua ko tōna tia ki te waka, ki roto ki tōna pakokori, hunahia ki reira. Ka haere a Ruru ki roto ki ō rātou whare.

Ka tae mai ngā tuākana, rokohina mai e moe ana i runga o ngā kai. Ā, ka pīkautia te kai ki runga ki te waka. Ka kainamu ki te ata ka kitea, ka haere he tangata me tāna wahine, ka haere he tangata me tāna wahine. Ā, ka mānu te waka, ka hoe rātou.

Ā, ka ū rātou ki tētahi whenua, he kino no te hau. Ka haere ki uta, ka pōrangitia he ahi ma rātou. Pōrangi noa, kāhore kia kitea. Ka kitea te ahi o Te Ngārara-huarau e kā ana, ka kī atu ngā tuākana ki a Ruru-teina kia haere, tīkina he ahi ma rātou.

Ka turi a Ruru, ka mea kia noho ki tōna pakokori — kei tākiritia e ngā tuākana, kitea ai tāna wahine. Ā, tonoa atu kia ha[e]re, ka haere a Ruru.

Ā, no ka tae ki te kāinga o Te Ngārara-huarau, rokohina atu e noho ana a Kiore-tī, a Kiore-tā. Na, ka karanga mai e Te Ngārara-huarau, 'Kiore, ko wai tēnei?'

Karangatia e Kiore, 'Ko Ruru.'

'Haere mai ki te aha?'

'Haere mai ki te tiki ahi mai.'

Karanga mai tērā, Te Ngārara, kia noho ki te kai. Ā, ka meatia te kai, ka tare a Ruru kia haere. Ka tae mai Te Ngārara, ka mau a Ruru, karapotia ai e te hiku o te waero. Ka tū te kai ki tōna aroaro — paru rawa i te inohi o Te Ngārara-huarau! Ka kai rātou.

Ka hori Te Ngārara, ka kī atu a Ruru ki a Kiore-tī, ki a Kiore-tā, 'Ko tōna tohu anō tēnei o tēnei wahine?'

Ka kī mai a Kiore-tī, 'Āe, ko tōna tohu anō tēnei.'

Ka kī atu te waha a Ruru, 'Tanumia rawatia te kai ma tātou ki te inohi!'

Ka kī mai te waha a Kiore-tā, 'E kī ana koia koe, he tangata tēnei wahine? He atua kē ia.'

Ka rongona mai e Te Ngārara-huarau, ka karanga mai, 'Ākuanei rawa, koe nei mate rawa!'

Ka kī atu a Kiore-tī rāua ko Kiore-tā ki a Ruru, 'Haere koe!'

Ka oma a Ruru, ka rere a Kiore-tī rāua ko Kiore-tā ki raro ki ngā pōhatu.

Ka karanga mai e taua wahine ra, 'E Ruru, hoki mai! E Ruru, hoki mai!'

Oma tou a Ruru. Ka karanga mai taua wahine, 'E kore au e tae atu — hei te rangi pūkokohu, ko au tēnā!'

Na, ka tae atu a Ruru-teina ki te kāinga a ngā tuākana. Ka kōrero ki a rātou i te kino o taua wahine, o Te Ngārara-huarau, ka mea rātou kia patua taua wahine ra. Ka whaihangatia he whare; kotahi te matāo, i te tuarongo. Ka whakatūria he rākau i roto i te whare, me Ruru anō te āhua o taua rākau. Ā, ka tae ki te rangi kohu, ka haere mai Te Ngārara-huarau. Ka tata, ka karanga mai, 'E Ruru, kei whea koe?'

Ka karanga atu a Ruru i runga i te tuarongo o te whare, 'Tēnei anō au.'

Ka karanga mai hoki taua wahine, 'Hua koe, i oma ai, e kore au e tae ai?'

Ā, ka tomo ki rō o te whare, ka kitea te rākau, kei te hua ko Ruru tēnei. Kāhore; kei muri a Ruru e kōrero ana. Ka awhi mai te hiku rā tētahi taha, ka āpiti ki te upoko; ka waiho te rākau i waenganui.

Ka whakarongo taua wahine ki waho e haruru ana, ka kī atu te waha, 'E Ruru, he aha tēnei?'

Ka kī atu te waha a Ruru, 'Ko ōu taokete tēnei te taka kai ma tāua.'

Kāhore, ko ngā tāngata e tōhihi wahie ana ki ngā tara o te whare. Ā, ka tahuna ki te ahi, ka puta a Ruru ki waho, ki te matāo o te whare. Ka kā tēnei wāhi, ka kā tērā wāhi. Ka uwhia Te Ngārara-huarau e te au o te ahi, kāhore kia kitea; pōuri kerekere ana. Ka auē, 'E Ruru whakawareware i te mura o te ahi! Au, taukiri!'

E tū ana ngā tāngata i waho nei, ko ngā karapoti anake mo ngā inohi o

Te Ngārara, kei rere. Ka rere te inohi, ka patua, ka pakaina ki runga ki te ahi. Tērā te inohi te rere, ka tae te karapoti — ki runga ki te ahi! E rua o ngā inohi i rere. Ā, ka mate Te Ngārara-huarau; ka mutu ngā mea i ora, ko aua inohi e rua.

Ā, ka pai te hau, ka mānu ngā tāngata, ka hoe, ka tae atu ki te kāinga o te hākui, o te hākoro. Ka haere ngā tuākana, tēnei tangata, tēnei tangata me tāna wahine, ka kī ia ko Te Roronga-rahia — tēnei tangata me tāna wahine, ka kī ia ko Te Roronga-rahia.

Ka mahara ngā mātua, he aha tēnei? Kāhore hoki te ātaahua e kitea i aua wāhine ra. Ka kī atu te hākui ki a Ruru-teina, 'Ko koe anake, kāhore tāu wahine?'

Ka kī mai tērā, 'Āe, kāhore āku nei wāhine. Kāhore anō he tāngata i tae ki taku pakokori?'

Ka kī atu te hākui, 'Kāhore. Ko wai koia kei tōu pakokori?'

'E kore koia e haere?'

Ā, ka haere te hākui, ka tae ki taua pakokori, huraina atu. Ā, tēnei te noho nei a Te Roronga-rahia rāua ko tōna tia. E mau ana ngā roimata o te wahine ra, e noho noa ana te tia. Na te tia tāna kai i mahiti, na te wahine rangatira tāna kai kāhore i mahiti — he kōkō te kai.

Ā, ka ārahina ki te kāinga, ka karanga atu te hākui, 'Na, Te Roronga-rahia, te wahine o tōku pōtiki — he wahine pai puku ia!'

Ā, ka haere mai ngā tuākana, ka riri ki ō rātou nei wāhine i parau nei, ka patupatu rātou i ō rātou nei wāhine.

Ruru-teina and Te Roronga-rahia

RURU-TEINA WAS THE youngest son, and his elder brothers treated him badly, making him work for them and look after the food stores. Then while they were living there, they heard that Te Roronga-rahia was the most beautiful woman, the finest of women. And the elder brothers decided to go and see this beautiful woman. Ruru-teina went as well, as their servant.

At dawn the canoe was launched, and they paddled off. At last they reached Te Roronga-rahia's village. Ruru-teina was left to bring ashore the things on the canoe, then carry them into a building and guard them.

The elder brothers went on into the village. They entered the meeting house, and stayed there while food was cooked for them. Then in the evening, each of these men kept company with a woman — and each whispered to his woman, 'Which is Te Roronga-rahia?'

Each of the women whispered back, 'Don't say anything to anyone. I'm her, I'm Te Roronga-rahia.'

But no, no, those women were just pretending to be important. Te Roronga-rahia wasn't there at all. Instead she was sitting quietly in her own house, along with her servant.

While the elder brothers were in the meeting house, Ruru-teina went off to fetch some water — because he'd finished carrying the food ashore. He met some children there who were whipping tops, and he asked them, 'Where's the path to the water?'

The children told him, 'Go that way, past the porch of Te Roronga-rahia's house.'

Ruru said, 'Oh, so that's her house?'

'Yes.'

And so he, Ruru, went off to fetch some water. Then in the evening, while his elder brothers were away in the meeting house, Ruru-teina went to Te Roronga-rahia's house — and there he found her, sitting quietly with her servant. The two of them talked. Then when it was quite dark, Ruru went back to his brothers' house and lay there on the food. Later, when the elder brothers came back to sleep in the house, they found Ruru-teina sleeping on the food there.

This happened every evening. Then Ruru-teina heard his elder brothers talking, and saying that the following day they'd be returning to their village — that they'd launch the canoe at the first light of dawn. Now Te Roronga-rahia was in love with Ruru-teina. When evening came, Ruru led the woman and her servant to the canoe, took them into the deck-house, and hid them there. Then he went back into his brothers' house. When the brothers arrived they found him sleeping on the food.

Later the food was carried on to the canoe. And when it was nearly dawn, each man came with his woman. The canoe was launched, and they paddled off.

After a while they landed in a strange country, because the wind was against them. They went ashore, and they tried frantically to kindle fire — but however long they tried, they couldn't do it. Then they saw Te Ngārara-huarau's fire burning there, and the elder brothers told Ruru-teina to go and get some fire for them.

Ruru wouldn't listen, because he wanted to stay in his deck-house — otherwise the elder brothers might open it, and his woman would be discovered. But they ordered him to go, and he did go.

Now when he came to Te Ngārara-huarau's home, he found Kiore-tī and Kiore-tā there. And Te Ngārara-huarau called, 'Kiore, who's that?'

Kiore called to her, 'It's Ruru.'

'What's he come for?'

'He's come to get fire.'

Then she, Te Ngārara, called that he must wait and eat. Food was cooked — and Ruru struggled to escape. But Te Ngārara reached over and caught him, wrapping the tip of her tail around him. Then the food was placed before him — and it was all dirty with Te Ngārara-huarau's scales!

So they ate. Then when Te Ngārara was gone, Ruru said to Kiore-tī and Kiore-tā, 'Is this what this woman's always like?'

Kiore-tī told him, 'Yes, she's always like this.'

Ruru's mouth spoke. 'Our food was covered with scales!'

And Kiore-tā's mouth spoke. 'Do you really think this woman is human? No, she's a spirit.'

Te Ngārara-huarau heard this, and she called, 'Very soon you'll be dead!'

Kiore-tī and Kiore-tā told Ruru, 'Go away!'

So Ruru ran off, and Kiore-tī and Kiore-tā fled under some rocks.

The woman called after him, 'Ruru, come back! Ruru, come back!'

Ruru kept on running. The woman called, 'I won't come now, but on a misty day I'll be there.'

Ruru reached the place where his elder brothers were living. He told them how evil this woman was, and they made up their minds to kill her. They built a house with a single window at the back, and inside they erected a post that was carved to resemble Ruru. Then on a misty day, Te Ngārara-huarau arrived. As she approached, she called, 'Ruru, where are you?'

At the back of the house, Ruru called, 'Here I am!'

And the woman called to him, 'Did you think, when you ran away, that I wouldn't come?'

She entered the house, she saw the post and she thought it was Ruru. (But no, Ruru was talking from behind it.) Her tail went round one side of the post and touched the head, and she stayed there embracing it.

Then the woman heard a thudding noise outside, and her mouth spoke. 'Ruru, what's that?'

Ruru's mouth spoke. 'It's your brothers-in-law, they're cooking food for us.'

But no, it was men piling up firewood around the walls of the house. Then they set it on fire, and Ruru escaped through the window. Every part of the house was burnt. Te Ngārara-huarau was covered in smoke — nothing could be seen, everything was black. She lamented, 'O Ruru, you deceived me in the flames. Alas, alack!'

Outside, men stood all round the house in case Te Ngārara's scales should escape. When a scale tried to escape, it was killed and put back on the fire. Whenever a scale tried to escape, the men around the house seized it — and it went on the fire! Two of the scales did escape. And Te Ngārara-huarau died. The only ones to survive were those two scales.

Then a fair wind came. The men launched their canoe and paddled off, and they arrived at the home of their mother and father. Then each of the elder brothers went forward with his wife, whom he said was Te Roronga-rahia — each of them with his wife, whom he said was Te Roronga-rahia.

But their parents thought, what was this? Because they couldn't see any beauty in these women. Then the mother said to Ruru-teina, 'Are you the only one without a wife?'

He told her, 'That's right, I haven't got a wife. I don't suppose anyone's been into my deck-house?'

His mother told him, 'No, they haven't. Who's this in your deck-house?'

'Won't you go there?'

So his mother went off to the deck-house and she uncovered it. And Te Roronga-rahia and her servant were sitting there. The woman was in tears, while her servant was sitting there calmly. The servant had eaten all her food, but the high-ranking woman hadn't eaten hers. The food was tūī.

She was taken to the village, and the mother called, 'Here is Te Roronga-rahia, she's my youngest son's wife, a most beautiful woman!'

So then the elder brothers came up. And they were angry with their own wives, who had deceived them, and they all beat their wives.

8 *The tohunga marooned on Whakaari*

THE ISLAND OF Whakaari (or White Island) is an active volcano in the southern Bay of Plenty, a fearsome place that sends up great clouds of sulphurous smoke. Along with Paepae-Aotea, a small island nearby, it was thought to be the home of taniwha, supernatural beings in the form of whales who punished and protected the people on the mainland opposite.

These people, a branch of Ngāti Awa, were once troubled with a tohunga, Te Tahi-o-te-rangi, whom they feared for the intensity of his tapu and because they thought he was using his magic to destroy their crops. Since it was contrary to custom to shed the blood of a tohunga, it seemed appropriate to rid themselves of Te Tahi by marooning him on Whakaari.

Te Tahi was deceived by their elaborate plot, and he presently found himself alone on Whakaari. But unknown to his people, Te Tahi possessed a mauri — the embodiment of a life-force — which gave him the power to call up the taniwha. He mounted the back of their leader, Tūtara-kauika, and he was taken across the water.

On the way he passed Ngāti Awa, who were still returning in their canoes. Te Tahi chose not to revenge himself upon them, telling the taniwha that his people's shame would be sufficient punishment. And when Ngāti Awa saw Te Tahi sitting on the shore, returned to land before them, they were deeply ashamed of what they had done.

His contact with the taniwha had made Te Tahi extremely tapu. He went now to his tūāhu, his shrine, beside Houmea's Rock — a sacred site — and he performed a ceremony, involving the use of cooked food, to remove his excess tapu. He also planted upon this rock the tapu flax which he had worn as a girdle while riding upon Tūtara-kauika.

Three days after his death, Te Tahi became a taniwha. His taniwha companions came for him, travelling up the Rangitāiki River then making their way overland, and they carried him off to Whakaari. He now inhabits those waters, and he is said sometimes to have saved his descendants from drowning.

This version of the story of Te Tahi-o-te-rangi was narrated by Tīmi Wāta Rimini at Whakatāne in 1899. He told the story at a church meeting he had organised, and he later wrote it down as he had told it,

A detail from Tīmi Wāta Rimini's drawing.

with a drawing as well which shows Te Tahi riding on Tūtara-kauika and escorted by two other taniwha. His story is written below the drawing.

The event with which Tīmi Wāta Rimini was associated was one of a series of large meetings held in the late 1890s in different parts of the North Island by Māori members of the Church of England. These inspirational rallies were organised on a tribal basis. Within the tribal districts each of the main hapū chose their strongest ancestor or ancestress to represent their mana, and the women stitched a flag with their ancestor's name and portrait worked upon it. The meetings began with the hapū coming on to the marae behind standard-bearers carrying their flags. When the contending orators spoke, each of them vigorously advanced their hapū's claim for the supremacy of their own ancestor.

So while there was nothing new about orators praising their ancestors, they were doing so this time in a rather different context. Tīmi Wāta Rimini asserts that in telling his story he upheld the mana of Te Tahi-o-te-rangi over the claims put forward at the meeting by related hapū of the Ngāti Porou people, who were also present. He writes as follows.

I mahia tēnei āhua me ēnei kōrero i runga i ngā mahi whakapūputa ki ngā mana o Ngāti Porou i te hui Hāhi ki Whakatāne, 1899. Hinga katoa aua mana.

This drawing was done and this story was written because of the high claims made about the mana of Ngāti Porou at the Church meeting held at Whakatāne in 1899. Those mana were all overthrown.

In his story Tīmi Wāta Rimini identifies himself (and by implication, his hapū) with Te Tahi as he stood upon the shore of Whakaari and revealed his mana. Appropriately, he likens Te Tahi to Moses, who used his powers to cross the Red Sea, and to Jonah, who travelled in the belly of a whale. The camel, that creature of the Bible, serves as a metaphor when Tīmi wishes to speak of an animal which provides transport. And his listeners, should they attempt a similar passage, would suffer the fate of Simon Peter, who lacked the faith to follow Christ when he walked upon the waters.

Ko Te Tahi-o-te-rangi

IA AU e tū nei i Whakaari, ka whakatakototia atu e ahau taku mauri ki te wai, ā, tuhera ana mai he ara mōku i runga i te wai; ā, haere atu ana ahau i runga i te kare o ngā wai, ā, tae atu ana ki Whakatāne. I pērā hoki me Mohi, i a ia i whakatakoto atu ra i tana tokotoko ki Te Moana Whero, ā, tuhera ana mai he ara mōna i te wai, ā, whiti atu ana ia ki tērā taha o Te Moana Whero.

Na, ko tōku 'kāmera' e tū nei ahau i runga, ko Tūtara-kauika; ko te 'kāmera' anō tēnei i haria atu ai a Hona te āpotoro ki te kauwhau i Ninewa. Na, ko wai o koutou, e hika taurewa mā, i rite te nui o te mana ki tōku mana? Ki te aru mai hoki koutou katoa i muri i a au, ka pērā anō koutou katoa me Haimona Pita i totohu ra ki te rire o te moana, i a Te Karaiti i kī atu ra, 'He aha tāu, e te hunga whakapono iti, ngākau rua?'

Tīmi Wāta, Kaiwhakahaere

Ngā kōrero tuatahi o Te Tahi, i kawea ai ki Whakaari whakarērea atu ai.

Ko tēnei tangata, ko Te Tahi, no Ngāti Awa e noho ana ki Whakatāne. Ko te mahi a tēnei tangata he tuku rangi, arā he karanga i te ua, i te whatitiri, i te kanapu; he mate tonu ngā kai o Whakatāne i te waipuke.

Ka whakaaro a Ngāti Awa me pēhea ra e mate ai te tangata nei, ka kī ētehi mōhiotanga, me rere ki Whakaari ki te hī mangō tara, ka whakarere atu ai kia mate atu ki reira. Kai te noho hē a Kātuarehe. Kātahi ka aukahatia ngā waka; ka marino, ka rewa.

Ka ui atu a Te Tahi ki ētehi tāngata, 'Ko hea a Ngāti Awa?'

Ka utua mai, 'Ko koe anake e noho; e haere ana a Ngāti Awa ki Whakaari ki te hī mangō tara.'

He mea nui hoki te mangō tara ki mua, hai hinu kōkō[w]ai.

Ka tū pōrangi te autaia nei, ka mea atu, 'Taihoa, e hoe ki a au!' — me te karanga mai ngā tāngata kia tere mai.

Ka eke a Te Tahi, ka rewa; ka hoe, ka ū ki Whakaari, ka kai i te ika. Ka mate te iwi nei i te hiainu wai, ka mea mai a Te Tahi, 'Hōmai he wai mōku.'

Ka whakahoki atu, 'Kua pau ngā wai. Engari ra koe, he mōhio ki te wai o konei. Māu pea e tiki he wai mo tātau?'

Anō ra hoki ko Te Tahi: 'Āe, māku e tiki he wai.'

Ka mau a Te Tahi ki te tahā, ka haere. Ka whakatata mai ngā waka ki uta; huri kau atu i tua o te mātārae, ka uta te iwi nei ki runga i ana waka. He rite te wherahanga o te whā raupō — arā o ngā hēra, he raupō, he mea whatu — ka pā hoki te muri hau raro. Ma koutou e titiro ki te puia o

The volcanic island of Whakaari (White Island) was regarded with fear and awe.

Whakaari e hinga ana ki uta, ka tika te hau, te rere a ngā waka. Koinei te kāpehu nui o te Pei o Pureti mo te hau.

Na, e utu ana te tangata ra i āna tahā, ka pā te tahā. Mōhio tonu ia he aituā; ka hoki mai, ka eke ake ki te taumata, ka whai iho te kanohi ki raro. Titiro rawa iho, kua ngaro ngā waka me ngā tāngata. Ka tīmata te whākanakana o ngā kanohi; titiro rawa atu ki te moana, e whakangaro atu ana ngā waka. Ko te kapu kau o ngā hēra e kitea atu ana.

Heoi anō, ka tangi te autaia nei. Mutu mārire te tangi, ka hutia mai te harakeke, ka whītikitia ki te hope. Ko te mauri ki te ringa, ka makaa ki te wai. Kātahi ka kārangaranga ki ngā taniwha.

Kāore i roa, mānu ana ngā taniwha. Ka eke atu a Te Tahi ki runga i a Tūtara-kauika, kātahi ka whāia mai a Ngāti Awa. Kāore i roa, ka mau. Ka pātai ngā taniwha ki a Te Tahi, 'Me pēhea a Ngāti Awa?'

Ka whakahokia iho e Te Tahi, 'Waiho a Ngāti Awa hai mātakitaki i a tāua. Waiho ma te whakamā e patu.'

Na, haere atu ana a Te Tahi i runga i a Tūtara-kauika, koia kua tae wawe ki Whakatāne. Ka peke atu ia ki runga i tētehi toka, ko Rukupo te ingoa, i te more o Kōhi, i mākatia ki te mea whero. Ka haere, ka tae ki Ōpaeroa, ka noho i runga i tētehi kōhatu, ka tatari mai ki a Ngāti Awa.

E whakauru atu ana ngā waka o Ngāti Awa, ka peke iho a Kātuarehe i runga i te toka, ka haere ki te pā. Ka titiro atu a Ngāti Awa, e hoe ana i waho; tata atu i a ia, ka mea ētehi, 'E tā mā, ko Te Tahi!'

Ka mea anō ētehi, 'Ko koe anake, ma hea mai hoki ia?'

Me te whakarongo haere te autaia nei.

Ka pātai atu tētehi, 'Ko koe tērā, e Tahi?'

Ka tū mai, te patu i te ringa; tukua ake ki a Ngāti Awa, kāore he iwi.

Ka haere, ka tae ki Te Pōhatu o Houmea, he kōhatu, ka noho i reira. Ka karanga ake ki ngā tāngata o te pā i Ōtamarae, 'Haria iho he rīwai maoa hai ruahinetanga mōku.'

Whakahoroho[ro] ana i a ia, ka noa. Ka whakatupuria tana harakeke mai o Whakaari ki runga i taua kōhatu, hai mātakitaki ma ēnei whakatupuranga.

Haere atu ana ia ki Rangitāiki, i mate ki reira, e rima pea tīni te mataratanga atu i te awa o Rangitāiki. E toru ngā rā, ka tīkina atu e ōna hoa taniwha, haria atu ana ki Whakaari; e puare mai nei te wāhanga.

Ka whitu ngā whakatupuranga o Te Tahi, tae mai ki tēnei whakatupuranga.

Ka mutu i konei ngā kōrero o Te Tahi.

Te Tahi-o-te-rangi

WHILE I WAS standing here at Whakaari, I laid down my mauri in the water and a path opened up for me over the water. I went out over the waves, and in this way I reached Whakatāne. It was just like Moses, when he laid down his rod in the Red Sea and a path opened up for him through the water, and he crossed to the other side of the Red Sea.

Now the 'camel' on which I stood was Tūtara-kauika — this was the same 'camel' that carried the apostle Jonah to preach at Nineveh. Now which of you, you laggards, has mana so great as mine? For if you should follow after me, you would all be like Simon Peter, who sank into the depths of the sea, when Christ asked, 'Why are you thus, O you of little faith and uncertain hearts?'

Tīmi Wāta, Organiser

Here begins the story of Te Tahi, who was taken to Whakaari to be abandoned there.

This man Te Tahi belonged to a section of Ngāti Awa who were living at Whakatāne. One of the things he did was to let down the heavens — that's to say, call up the rain and thunder and lightning — and the crops at Whakatāne were always being destroyed by floods.

Ngāti Awa tried to decide how he could be killed, and some clever people suggested that they should sail to Whakaari to fish for bramble sharks, then leave him there to die. Our hero knew nothing at all about this. So then they lashed the canoes, and when the sea was calm they set off.

Te Tahi asked some men, 'Where are Ngāti Awa going?'

They told him, 'You'll be the only one left here. Ngāti Awa are going to Whakaari to fish for bramble sharks.'

Bramble sharks were very important in the old days because their oil was used with red ochre.

The rascal leapt up, very upset, and he said, 'Wait, bring the canoe over here!' — while the men called to him to hurry.

When Te Tahi was on board they set off. They paddled out to sea, then they landed on Whakaari and they ate some fish. Then they got thirsty, and Te Tahi said to them, 'Give me some water.'

They told him, 'The water's all gone. But you know where it is here, won't you fetch some for us?'

So Te Tahi said, 'All right, I'll fetch some water.'

He took up his calabash and he started off. The canoes moved towards the shore, then as soon as he had gone behind a headland everyone went on board. The raupō leaves (that's to say the sails, which were of plaited raupō) were spread out, all together, and the north wind blew. When you see the steam at Whakaari pointing towards the land, the wind is in the right direction and it's the proper time for canoes to set sail. In the Bay of Plenty this is the main compass showing how the wind is blowing.

Now while Te Tahi was dipping in his calabashes, one of them struck the bottom. He knew very well that this was a bad omen, and he went back and climbed to the top of the hill. He looked down below, and he saw that the canoes and the people were gone. He gazed about in all directions, then far out on the ocean he saw the canoes just disappearing from sight. Only the curve of their sails was to be seen.

Well then, the rascal wept. Then when he had finished weeping he plucked some blades of flax and tied them round his hips. He threw into the water the mauri he had been holding in his hand, and he called to the taniwha.

Before long they floated up. Te Tahi mounted Tūtara-kauika and they followed after Ngāti Awa. Before long they caught up with them. Then the taniwha asked Te Tahi, 'What is to be done with Ngāti Awa?'

Te Tahi answered, 'Leave Ngāti Awa to gaze upon us. Leave them to be smitten with shame.'

Now Te Tahi went across on Tūtara-kauika, so he got to Whakatāne quickly. He jumped on to a rock called Rukupo; it's by the Kōhi headland, with a red mark. Then he went on to Ōpaeroa and he sat there on a rock waiting for Ngāti Awa.

As Ngāti Awa's canoes were coming in, our hero jumped down from the rock and went on into the pā. While they were still out to sea Ngāti Awa looked towards him, then when they came closer some of them said, 'Friends, it's Te Tahi!'

But others said, 'No, you're wrong. How could he get back?'

And all the while the rascal was listening to them as he went along.

One of them asked, 'Is that you, Tahi?'

He stood with his patu in his hand and he brandished it at Ngāti Awa, while they just sat there unable to do anything. Then he went on his way.

He reached Houmea's Rock — this is a stone — and he stayed there. He called up to the people in the Ōtamarae pā, 'Bring down a cooked potato to take away my tapu.'

He performed the ceremony to remove his tapu, and he was free of it. The flax he had brought from Whakaari was planted on the rock, a thing to be gazed upon by later generations.

Then he went on to the Rangitāiki River and he died at a place there, some five chains from the river. Three days later his taniwha companions came to fetch him, and they carried him off to Whakaari. The gaping hole can still be seen.

From Te Tahi to the present generation, there are seven generations. That's the end of the story of Te Tahi.

9 *The girl carried off by a taniwha*

TOHUNGA, OR PRIESTS, dealt with the supernatural, so were extremely tapu. Their heads in particular were tapu, so cutting their hair was a sensitive matter. When Poraka, the tohunga in this story, has his hair cut by his daughter Pare-kawa, her hands become tapu in the process and she is unable to cook food until their sacredness is removed. But when visitors arrive and no one else is there to cook for them, she is so ashamed that she breaks the rule and prepares them a meal.

People who broke tapu were punished by atua, or spirits. These often took the form of taniwha, creatures which lived mostly in the water but sometimes moved through the earth. Sometimes taniwha were said to look like whales, or to be disguised as floating logs; sometimes no description was given. They were frequently attached to one particular tribe, and generally had a special relationship with the leading tohunga of that tribe. In this case, the tohunga Poraka is the medium of Peke-tahi, the rangatira of a tribe of taniwha.

When Pare-kawa breaks the tapu, she is punished by being taken down through the water to the home of the taniwha underneath the earth. But because of Peke-tahi's relationship with her father, he eventually allows her to return.

Pare-kawa is told that on leaving the water she must jump up on to the roof of her house — for this is the halfway point between the human realm and the supernatural. At first she does not succeed, but on her

second attempt she reaches the tūāhu, the shrine where her father communicates with spirits. He finds her there, and he recites over her the karakia which make her fully human again.

The Puniu River, through which Pare-kawa comes back up to this world, joins the Waipā River just south of the present town of Te Awamutu.

The story was written in 1871 by an important rangatira in the Waikato region, Wiremu Te Wheoro of Ngāti Mahuta.

Ko Peke-tahi, he taniwha

KA NOHO TE tangata, a Poraka; he tohunga, he mōhio ki te mākutu, he pū taniwha. Ka kī atu ki tana tamāhine, ki a Pare-kawa, kia haere mai ki te kotikoti i tana māhunga. Kātahi ka kotikotia e Pare-kawa te māhunga. Ka oti, tapu tonu iho ngā ringa o te wahine nei.

48

Ka puta mai te manuhiri ki te kāinga o te wahine nei, ka kore noa he tāngata hei tahu kai ma te manuhiri nei. Kātahi te wahine ra ka whakatika ki te tahu kai, kāore anō ōna ringa kia noa.

Ka maoa te kai, ka haere te wahine nei ki te kōrero atu ki tana matu[a], ka mea atu, 'Kua tae mai he manuhiri ki taku kāinga, kāore he tāngata hei tahu kai. Whakamā noa iho au, whakatika ana au ki te tahu kai ma te manuhiri.'

Ka rongo tōna matua i ngā kōrero a te wahine nei, ka pōuri mo te tapu o ngā ringa i tōna kotikotinga.

Hoi anō, hoki mai ana te wahine ra ki tana kāinga. Tana pōrangitanga, ehara, ka rere ki runga i ngā puke, i roto i te ngahere. Hoatu noa te whai — no whea hoki e mau? Rua tekau, toru tekau ki te whai, kore rawa e mau. Te tatanga o ngā kaiwhai, tūpeke ana ki roto i te wai, ruku tonu iho.

Tirotiro kau ana ngā tāngata; ka hua kua mate.

Tana rukuhanga o te wahine ra, haere i raro i te whenua, puta tonu atu ko te kāinga o Peke-tahi me ō reira tāngata anō — whare, māra, mahinga kai. Ka noho te wahine nei, ka maoa mai te kai, ka kawea mai he kai ma te wahine nei. Ka mea atu a Peke-tahi ki te wahine ra, 'Kaua koe e kai i ngā kai o tēnei kāinga. Ki te kai koe, e kore koe e hoki.'

Kīhai te wahine nei i tukua e Peke-tahi kia kai. Ko Peke-tahi hoki te tangata whai mana o te iwi taniwha nei — koia anō te rangatira.

Kātahi a Peke-tahi ka kī atu, 'Haere, e hoki. E tae koe ki tērā ao i runga, kei kitea koe e te tangata; me tika kau i roto i te wai. Kia tae ki te wāhi e tata ana ki te kāinga e noho ai koe, ka haere whakarāngaro ina tahaki; kia tata, ka tūpeke ai ki runga i te whare. Ka eke koe ki runga i [te] whare, ka tūpeke ki runga i te tūāhu, kātahi koe ka noho tonu atu. Me haere atu anō tētehi tangata o konei hei ārahi atu i a koe.'

E toru ngā rā o te wahine nei e noho ana i reira, kātahi te wahine ra ka hoki mai. Puta rawa ake ki tēnei ao i Puniu, ka haere mai i roto i te awa. Ka tata ki ngā kāinga, kātahi ka tūpeke ki uta. E haere āhua taniwha ana te wahine nei; kāore anō i hoki mai tōna āhua tangata.

Ka tata ki te taha o te whare, ka tūpeke te wahine nei ki runga i te whare. No te tatūtanga o te wahine ra ki runga i te whare, ka kitea e te tangata, kīhai i tae ki te tūāhu.

Ka pā te karanga a te tangata ra, 'Ko Pare-kawa, ko Pare-kawa!'

Tana tūpekenga o te wahine nei, noho rawa iho i runga i te rākau. Hoatu rawa te kaihopu. Tana tupekenga, tau rawa atu i roto i te wai. Ka kāwhakina anō te wahine nei e ōna kaiarataki mai, ka whakahokia anō ki a Peke-tahi.

Ka ako mai anō a Peke-tahi, 'Haere, e hoki. Kia puta tonu atu koe ki runga i te tūāhu.'

Hoki ana anō te wahine nei, ka tika mai anō i tana huarahi i haere atu ai. Puta tonu mai ko runga i te tūāhu, ka kitea e tōna matua. Kātahi ka karakiatia, kātahi ka hoki mai tōna āhua tangata o tēnei ao.

Ka noho, kātahi ka kōrero. He tāngata anō kei raro ko te wai nei, kei runga nei anō. He tini te tāngata, ko Peke-tahi anō te tangata whai mana. Ka haria te tangata ki reira e te taniwha, arā e taua iwi, ka hoatu he kai. Ka kai te tangata i ō reira kai, e kore e hoki mai, ka noho tonu atu hei taniwha. Heoi anō, ko Peke-tahi anake tā ngā tāngata o te ao nei e mōhio ana, rongo ai ki ngā tohunga. E kī ana, 'Kei haere ki ngā wāhi tapu — ka riro koe i a Peke-tahi te tō ki te wai!'

I whakahokia mai ai te wahine nei, ko tōna matua tētehi kaupapa o taua taniwha. Noho ana taua wahine; e noho mai nei anō i ēnei tau 1871.

Peke-tahi, a taniwha

THERE LIVED A man named Poraka who was a tohunga, a man who knew witchcraft, and was wise in the ways of the taniwha. One day he told his daughter, Pare-kawa, to come and cut his hair. So she cut his hair, and afterwards her hands remained tapu.

Then some visitors appeared at the woman's home when there was no one at all to cook food for them. So the woman set about cooking some food, although her hands had not had their tapu removed.

When the food was done, she went to tell her father. She said, 'Some visitors came to my home, and there was no one to cook the food. I was so ashamed, and I went and cooked food for them.'

When the woman's father heard this he was very upset, because her hands were tapu from having cut his hair.

Well then, the woman went back home. And then she went mad, and she rushed up on to the hills and into the forest. They went after her, but it was no use, because how could they catch her? Twenty or thirty people were chasing her, but they weren't able to catch her. When they got close, she jumped into a stream and dived right down.

The people gazed around in vain. They thought she must be dead.

When the woman dived into the water, she made her way along under the earth and came out at last at the home of Peke-tahi and the other people there; they had houses, plantations, and places where they gathered food. The woman stayed there, and some food was cooked and brought for her to eat. But Peke-tahi told the woman, 'Don't eat the food here. If you do, you won't return.'

Peke-tahi wouldn't allow her to eat. Because among these taniwha people, Peke-tahi is the one with the mana. He's the one who is the rangatira.

So then Peke-tahi told her, 'You must go back. When you reach that world up above, don't let anyone see you; just go straight through the water. When you come to a place near the village where you live, go along secretly by the bank. Then when you are close, jump on to a house. From the top of the house, jump on to the tūāhu; then you'll be able to stay there always. Someone from here must go as well, to show you the way.'

The woman stayed there for three days, then she came back. She came up to this world at the Puniu River, and she went along in the river.

When she was near the villages, she jumped on to the bank. She looked like a taniwha as she went along; her human appearance hadn't yet returned to her. She got close to a house, and she jumped on to it. But as she was alighting on the house, a man saw her. So she didn't reach the tūāhu.

The man shouted, 'It's Pare-kawa, Pare-kawa!'

The woman jumped away, and she landed right up in a tree. Some people went to catch her, and she jumped again. This time she landed right out in the water. She was carried off by those who had led her there, and once more she was taken to Peke-tahi.

Then Peke-tahi told her again what she must do. 'You must go back, and come out right on the tūāhu.'

Again the woman went back, straight along the path she had taken before. She came out right on the tūāhu, and there she was found by her father. So then karakia were performed over her, and she once more assumed the appearance of a human being in this world.

After she had been there some time, she spoke of what she had seen. There really are people under the water as well as up here above. There's a multitude of those people, though Peke-tahi is the one with the mana. When someone is taken there by the taniwha — that's to say, by that people — they're given some food. If they eat the food that belongs to that place, they'll never come back — they'll stay there always as a taniwha. But Peke-tahi is the only one the people in this world know about, because they listen to the tohunga when they tell them, 'Don't go on to the tapu places, you'll be carried off by Peke-tahi and dragged into the water!'

The reason they brought this woman back was that her father was a medium for that taniwha. She went on living there. And she's still alive now, in 1871.

10 A taniwha in the Whanganui River

THE WHANGANUI, BEING a great river, was the home of many taniwha. Most were friendly, when treated well, but the taniwha Tūtae-poroporo had come from another tribal region to seek revenge.

Tū-ariki, Tūtae-poroporo's master, had lived at Rangitīkei, south-east of the Whanganui. While on a visit to Whakatū (where the town of Nelson now stands), Tū-ariki caught a young shark and kept him as a pet. He took this creature back to Rangitīkei, he looked after him well, and in time the shark turned into a taniwha.

Then Tū-ariki was killed by some men from the Whanganui region, and Tūtae-poroporo set out to avenge his master. He stayed for a while at the river-mouth, then moved to the rapids upstream. Finally he settled down at the mouth of the Purua Stream, where it enters the Whanganui below a ridge known as Taumaha-aute (this is near the present city of Wanganui, and its English name is Shakespeare Cliff). There he laid waste to the region, killing great numbers of people.

In the end Tūtae-poroporo was destroyed by Ao-kehu, a man of Ngā Rauru tribe who lived at Waitōtara, some distance from the river. Ao-kehu used magic to overcome the taniwha, boldly entering his body then reciting a potent karakia, a ritual chant, to make him weak and helpless. In his karakia he identifies himself with Tū, god of war, and with Rangi, the sky. He pretends at first to regard the taniwha as a fearsome,

awesome demon, but then he scornfully calls him a little cockle and a sandhopper — the most insignificant of the creatures that live in the water. The taniwha's spiny back is said to be its mauri, its source of strength — so it must have been thought to resemble, in this respect at least, the male tuatara, which has spines which stand erect when it is excited.

Wiremu Kauika, of Waitōtara, published this story in 1904. With it he gave a genealogy showing Ao-kehu to be a very early ancestor, a grandson of a man named Kewa who arrived from Hawaiki, along with his elder brother Turi, on the Aotea canoe. The genealogy gives 17 later generations and ends with Wiremu Kauika himself.

Ko Tūtae-poroporo

KO TĒNEI TANIWHA, ko Tūtae-poroporo, he ika no te moana, arā, he mangō. Tēnei te take i taniwhatia ai taua ika.

Ākuanei ka haere tētehi tangata no Ngāti Apa ki Whakatū; ko Tū-ariki te ingoa o taua tangata, tōna kāinga kei Rangitīkei. Ka tae ki

Whakatū, kātahi rātou ko ētahi tāngata o reira ka haere ki te moana ki te hī ika. Heoi, kua kai mai te mangō ki te matau a taua tangata. Ehara i te mangō nui; he mangō iti rawa, he kūao. Heoi, kīhai i patua e taua tangata, engari ka mahara kia waiho hei mokamokai māna.

Heoi, ka hoki mai te tangata ra, a Tū-ariki, ki tōna kāinga, ki Rangitīkei; ka mauria mai e ia tōna mokamokai, ka tae mai ki Rangitīkei. Kātahi ka whakanohohia e te tangata nei tōna mōkai ki roto ki tētahi puna, ko Tūtae-nui te ingoa o taua puna. Hangaa rawatia ngā paepae o te puna, ka oti. Kātahi ka hoatu tōna mōkai ki roto, ka karakiatia hei taniwha. Ka mutu, ka noho.

Ka roa; nāwai rā i iti taua mangō nei, ā, kua nui haere, ā, kua pēnā me te tohorā. Kua haere hoki i roto i te awa o Tūtae-nui, puta atu hoki ki te awa o Rangitīkei, ka hoki anō ki tōna nohoanga — kua nui hoki tōna nohoanga. Ko te mahi hoki a tōna ariki 'e haere tonu i ngā rā katoa ki te titiro, ki te whāngai, ki te karakia i ngā karakia taniwha. Heoi, kua tino mōhio taua taniwha, kua tino nui hoki.

Ākuanei, tērā tētahi ope taua na Whanganui kei te haere mai. Tae mai nei ki Rangitīkei, rokohina mai te ariki o te taniwha nei, arā, a Tū-ariki; patua ana e Whanganui, ka mate, mauria ana ki Whanganui tao ai.

Kātahi ka noho te taniwha nei, ka roa; kāore anō tōna rangatira i tae atu. Kātahi ka haere ki te hongi haere i ngā wāhi e haere ai tōna ariki; heoi, kāore rawa i kite. Kātahi ka tino mōhio te taniwha nei, kua patua tōna ariki e ētahi iwi; kua tae hoki te tohu ki a ia. Kātahi ka tangi te taniwha nei ki tōna ariki.

Ka mutu, kātahi ka haere te taniwha nei ki te kimi i te iwi nāna i patu tōna ariki. Ka haere i roto i te awa o Rangitīkei, ka puta ki te moana nui, i Raukawa, kātahi ka hongi te ihu ki te tonga: kāore. Ka hongi te ihu ki te hauāuru, kua rongo i te haunga o tōna ariki, kua mōhio na Whanganui i patu tōna ariki. Kātahi ka tomo ki roto ki taua awa ki te ngaki utu mo tōna ariki.

Ka noho ki Ōkupe, i te pūaha o te awa o Whanganui. Ka roa, ka kore pea he tāngata e tae atu ana ki reira hei patunga māna, kātahi ka haere i roto i te awa o Whanganui; ka ahu ki runga o taua awa, ka tae ki Te Papa-roa, he tāheke kei runga o te awa o Whanganui. Ka noho ki reira taua taitāhae nei.

Kāhore i tino roa ki reira, ka mahara, kei te kino anō tērā nohoanga ōna. Kātahi ka hoki anō ki waho, ka tae ki Purua, ka noho ki reira. Heoi, kātahi ka mahara kātahi rawa tōna kāinga pai ko tēnei. Heoi, ka noho.

Ka roa, kātahi ka hoe mai ngā waka o runga o taua awa ki waho. Ka tae ki te wāhi i noho ai taua nanakia nei, kātahi ka whāwhātia mai, pau katoa i a ia te kai: kākahu atu, meremere atu, parawai atu, aha atu. Katoa ngā mea a te Māori, haere katoa atu ki roto ki te kōpū o taua nanakia nei. Ka pēnā tonu tāna. Tērā ngā tāngata kua mahue atu ki ngā kāinga te noho mai ra me te mahara, kua tae ki te wāhi i haere atu ai. Kāore! Kua pau te kai e taua nanakia. Pēnā tonu. Ka haere ō tēnā hapū, ka pau anō i taua nanakia nei te kai.

Heoi, ka whakaaro ngā tāngata o ngā hapū i haere ra — arā, ngā mea i mahue atu ki ngā kāinga — kia haere rātou ki te whai: ākuanei pea kua patua e ētahi iwi kē atu. Kātahi ka utaina ngā waka, ka hoe. He nui ngā waka: ākuanei, ko ētahi o ngā waka ki mua, ko ētahi ki muri anō e hoe atu ana.

Ākuanei, ka tata ngā waka o mua ki te wāhi i noho ai te nanakia ra. Kātahi taua taniwha ka whakatika mai, ānō he tohorā e pautu ana i te moana; te ngaru, ānō he ngaru moana. Heoi anō, kua kite atu ngā waka o muri, ka hoe ērā waka ki uta; kua mōhio atu he taniwha, ka oma atu ngā tāngata ki runga i ngā maunga, ka whakarērea atu ngā waka. Ko ngā waka i mua ra, mate katoa ngā tāngata o runga. Heoi, kātahi ka mōhiotia koia nei anō e patu nei i ngā ope tuatahi e ngaro nei.

Kātahi ka haere atu te hunga i oma ra ki uta ki te kōrero atu ki ngā kāinga katoa o runga o taua awa, kia kaua rawa he tāngata e hoe i roto i taua awa: me whakarere te noho i ngā kāinga e tūtata ana ki te awa o Whanganui, o Manganuiteao, o Tāngarākau, o Ōngarue, me haere ngā tāngata ki ngā wāhi e kore ai taua nanakia e tae atu, arā, ki Murimotu me ētahi atu wāhi. Heoi anō, ka mahue ake te noho i roto o te awa o Whanganui.

Kātahi ka kimi ritenga taua iwi, me pēhea ra e mate ai taua taniwha nei i a rātou. Kātahi ka mea atu a Tama-āhua-rere-rangi ki a rātou, 'Kotahi te tangata i rongo i a au; he toa taua tangata ki te patu taniwha. Ko Ao-kehu te ingoa; tōna kāinga ko Waitōtara, tōna pā ko Puke-rewa.'

Kātahi ka mea mai te iwi, 'Me haere koe ki te tiki i taua tangata, i a Ao-kehu, mehemea e kore e taea e ia te haere mai ki te patu i taua tani-wha' — arā, i a Tūtae-poroporo.

Ka mea atu a Tama-āhua, 'E pai ana.'

Kātahi ka haere atu te tangata ra ki Waitōtara, kua tae. Kāore! Kua rongo katoa ngā tāngata o Ngā Rauru, o Ngāti Ruanui, o Taranaki ki taua nanakia, ki a Tūtae-poroporo. Heoi, kātahi a Tama-āhua ka kī atu ki a Ao-kehu, 'I haere mai ahau ki a koe. Tēnā oti a Te Āti Hau, kua mate i tētahi taniwha, kei roto i te awa o Whanganui e noho ana. Kua mahue ngā kāinga tūturu, kua haere noa atu ngā tāngata ki ngā wāhi e kore ai e taea e taua nanakia nei.'

Kātahi ka mea atu a Ao-kehu, 'Āe, kua rongo atu mātou.'

Kua mōhio tonu hoki a Ao-kehu i haere atu a Tama-āhua-rere-rangi ki te tiki atu i a ia hei patu i taua taniwha. Ko Tama-āhua he hunaonga ki a Ao-kehu, i moe i te tuahine a Kauika, i a Raka-takapō; hei mokopuna ki a Ao-kehu a Raka-takapō. No Whanganui a Tama-āhua, no Waitōtara a Raka-takapō. Heoi, kātahi ka kī atu a Ao-kehu ki a Tama-āhua, 'Mā atu! Hei āpōpō au tae atu ai. Engari e tae koe, kaua e takahia te taha o te awa o Whanganui.'

Heoi, ka hoki a Tama-āhua. I muri i a Tama-āhua, kātahi ka karanga atu a Ao-kehu ki tōna iwi, kaua hei tuku kia mārama e haere ana. Heoi anō, ka moe. Kāore anō i haehae te ata, ka whakatika te iwi o Ao-kehu ra, ka haere tōna hokowhitu. Ka mauria e Ao-kehu ōna rākau, a Tai-timu, a Tai-paroa; ko aua rākau he mira tuatini. Kātahi ka haere a Ao-kehu me tōna taua, ka tae ki Whanganui, arā, ki Tōtara-puku. Rokohanga atu i reira a Tama-āhua e noho ana me tōna iwi.

Kātahi ka mea atu a Ao-kehu, 'Kai whea rawa te wāhi i noho ai te nanakia nei?'

Ka whakahokia e te tiaki whenua, 'Kāore i mamao. Ka kite koe i te hiwi ra, ko Taumaha-aute? Tērā kei raro iho.'

Ka mea atu a Ao-kehu ki tōna iwi, 'Tīkina, tapahia mai he rākau, kua rite ki a au te roa; ka tārai hei waka mōku, ka mahia anō he taupoki.'

Kātahi ka mea mai te hunga whenua, 'Taihoa ra e mahi, kia maoa mai he kai.'

Ka kī atu a Ao-kehu, 'Ka tāria mārire e kai. Kia mate ra anō i a au tērā nanakia, ka mahi ai he kai.'

Heoi anō, kāore i roa te mahinga i te waka, kua oti, me te taupoki; houhou rawa i ngā kōhao hei hereherenga. Ka oti, kātahi ka karanga atu a Ao-kehu ki te iwi katoa, 'Ki te tukua ahau e koutou ki te wai kia tere haere, me haere koutou ma runga i ngā hiwi titiro iho ai ki a au, mo te pau atu ahau ki roto ki te puku kōpū o Tūtae-poroporo. Engari tāku kupu ki a koutou, kia pēnā ake ngā niho o Tai-timu rāua ko Tai-paroa e ngau ana ki runga ki ōna tuātara, ā, e maroke ōna kauae ki uta!'

Heoi ngā kupu a Ao-kehu. Kātahi ka tango mai i ōna rākau, i a Tai-timu rāua ko Tai-paroa, ka kuhu ki roto ki tōna waka. Kātahi ka here-herea ki ngā kōhao i werowerohia. Ka oti, ka pania ki te uku a waho, kei puta atu te wai ki a ia. Ka oti, ka pai hoki. Kātahi ka tukua ki te wai.

Ka tere te waka o taua māia nei, arā a Ao-kehu, ka haere hoki te iwi katoa ma runga i ngā hiwi titiro haere ai. Nāwai ā, ka tata te waka ra ki te nohoanga o tērā nanakia. Ehara! Kua rongo te taniwha i te kakara o tōna kai, kātahi ka whāwhātia mai, horomia atu ana te tangata ra me tōna waka ki roto i te kōpū o taua taniwha. Kua kite iho hoki ngā tāngata i haere ra ma uta i te whāwhātanga mai a taua taniwha. Heoi, ka hoki te nanakia nei ki tōna nohoanga.

No te mōhiotanga o te tangata ra kua tae te taniwha ra ki te rua, kātahi anō ka tīmata te tangata ra ki te karakia i ngā karakia patu taniwha, whakamaiangi hoki kia rewa te taniwha ki runga o te wai, kia pae hoki ki uta. Ko te karakia tēnei; arā, ko te karakia whakamoemoe i te taniwha.

Ko au, ko au, ko Tū, he ariki!
Ko au, ko Tū, ko tōu ariki i runga nei!
Ka whanatu au ki te kura winiwini i raro nei,
Ki te kura wanawana i raro nei —
Ki te pīpipi i raro nei,
Ki te potipoti i raro nei, ko koe!
Koia rukuhia, koia whāia
Ki te tūāpapa o tōu whare i tū ai tō iho,
I tū ai tō tira, i tū ai tō mauri,
I herea ai tō kaha ki a au, ki a Rangi-nui e tū nei!
Whakaruhi, whakamoe, oi!
Ko au ka whanatu ki ō tuātara e riri mai na, e nguha mai na.
Titia, titia te poupou o tō manawa,
Titia te pou o tō iho i tū ai koe, i rere ai koe.
Ka titia ōu niho e tetēā mai na, ōu tuātara e riri mai na —
Ka moe, ka ruhi ē!

Ehara, kātahi ka karakiatia te karakia hāpai, arā, whakarewa ki runga.

Te tūāpapa i raro nei, maiangi ake ki a au,
Te toka i raro nei, maiangi ake ki runga nei ki a au —
Ki tō kauhou i tū ai koe,
I rere ai koe ki te mokopu-o-rangi!
Ko koe, koia hikitia,
Ko koe, koia hāpainga.
Tangi te tō, hiki, ē, ē!

Ehara, rewa ana te taniwha nei ki runga, ka pae ki te kōngutu awa o te awa o Purua. Heoi, kātahi ka tapatapahia mai e nga tāngata ra ngā herehere o te waka o te māia ra, ka puta mai ki waho i roto mai i te kōpū o te taniwha ra. Heoi anō, kātahi ka tapahia ake te puku ki ōna māripi, arā ki Tai-timu, ki Tai-paroa.

Heoi anō, ka kite iho ngā tāngata i runga i te pā, arā i Taumaha-aute, kātahi ka haere katoa ki te kotikoti i tō rātou ito; rokohina te tāngata, te wāhine, te tamariki, i roto i te kōpū o te taniwha ra. Heoi anō, ka mauria ngā tūpāpaku ki roto ki te pā i Taumaha-aute tanu ai. Ko te taniwha ra, tapatapahia hei kai ma ngā manu o te rangi me ngā ika o te moana.

Heoi anō ko ngā kōrero o te patunga i tēnei taniwha. Ka koa hoki te iwi o Whanganui ka mate a Tūtae-poroporo, kātahi anō ka hoki a Whanganui ki tō rātou awa, arā a Whanganui, me ō rātou kāinga.

Tūtae-poroporo

THIS TANIWHA TŪTAE-POROPORO was a fish from the sea, that's to say, a shark. This is why the fish turned into a taniwha.

A man from Ngāti Apa once went across to Whakatū. Tū-ariki was his name; his home was at Rangitīkei. When he got to Whakatū, he and some local men went fishing out at sea. Well, a shark swallowed the man's hook, not a big shark but a very little one, a young one. And the man didn't kill him. Instead, he decided to keep him as a pet.

Well then, this man Tū-ariki went back home to Rangitīkei, and he took his pet with him. When he got to Rangitīkei he made a place for his pet in a pool called Tūtae-nui, building it up with plenty of beams. When it was finished he put his pet inside, and he performed karakia to turn him into a taniwha. Afterwards they went on living there.

For a long while the shark was quite small, then he grew bigger, and in the end he was like a whale. By this time he used to go along the Tūtae-nui Stream and out into the Rangitīkei River, then back again to his home — because his home was big now. And his master came every day to see him and feed him, and perform the karakia to make him into a taniwha. Well then, this taniwha had become very knowledgeable and very big.

Some time after this, a war party came from Whanganui. At Rangitīkei they found this taniwha's master, that's to say Tū-ariki, and they attacked and killed him. Then they took the body back to Whanganui to cook it.

Then for a long while the taniwha stayed where he was, but his master didn't come. So then he went sniffing around the places where his master used to go, but he couldn't find him anywhere. So then the taniwha knew very well that his master had been killed by some other tribe — because a sign came to him. So then the taniwha wept for his master.

Afterwards the taniwha went looking for the people who had killed his master. He made his way down the Rangitīkei River, and out into the wide ocean at Raukawa. Then he sniffed towards the south, and there was nothing. But when he sniffed towards the west the scent of his master came to him, and he knew it was the Whanganui people who had killed his master. So then he entered the river to avenge his master.

He made his home at Ōkupe, at the mouth of the Whanganui River. But after a long time, perhaps because there weren't any people going there that he could kill, he went up the Whanganui — right up to Te Papa-roa, where there are rapids on the river. And the rascal stayed there.

But before very long he decided this place of his was no good at all. So then he went back downstream, down to Purua, and he stayed there. Well then, he decided this was a very good home for him. And so he stayed there.

After a while, some canoes from up the river came paddling down-stream. They came to the place where this monster was living — and he attacked them, and he ate them all up! He ate up their clothes, their patu, their korowai cloaks, and everything else. All the possessions of the Māori went down together into that monster's belly. And he did this every time.

The people who had been left behind in the villages thought their friends had reached their destinations. But no, they had been eaten by that monster! Every time it happened like this. Men from one tribe or another would set out on a journey, and they would be eaten by the monster.

Well then, some people who belonged to the tribes that had gone down the river — the ones, that is, who'd been left behind in the villages — decided to go after them, because they thought other tribes might have killed them. So they manned some canoes and they paddled off. There were a lot of canoes, and after a while some were in front and others were paddling along behind.

Soon, the canoes in front came close to the place where the monster was living. So then the taniwha rose up before them like a right whale spouting in the ocean — the waves were like waves out at sea. Well, the men in the canoes at the back saw this, and they paddled to the bank — they knew it was a taniwha. They ran away over the mountains, leaving their canoes there. As for the canoes up in front, all the men in them died.

Well, people knew then what it was that had killed the first parties of travellers who'd disappeared. And the people who had fled to the bank went off to tell all the villages on the river that no one must take a canoe on the river, and that they must stop living at their homes near the Whanganui, the Manganuiteao, the Tāngarākau and the Ōngarue, and go and live instead in places that were beyond the taniwha's reach — Murimotu, and other places. Well then, they all left their homes in the Whanganui Valley.

Then the people tried to think of a way of killing the taniwha. And Tama-āhua-rere-rangi told them, 'I've heard of a man who is a great killer of taniwha. His name is Ao-kehu. His home is at Waitōtara and his pā is Puke-rewa.'

The people said, 'You must go to this man Ao-kehu, and see if he'll come to fight this taniwha' — that's to say, Tūtae-poroporo.

Tama-āhua said, 'Very well.'

So then this man set off for Waitōtara. When he got there, *kāore!* All the men of Ngā Rauru, Ngāti Ruanui and Taranaki had heard already about this monster Tūtae-poroporo. Well then, Tama-āhua said to Ao-kehu, 'I have come to see you. All of Te Āti Hau have been destroyed by a taniwha that's living in the Whanganui River. Our homes are deserted, and our people have gone far away to places the taniwha cannot reach.'

Ao-kehu told him, 'Yes, we have heard about this.'

Now Ao-kehu knew very well that Tama-āhua had come to fetch him to kill the taniwha. This was because Tama-āhua was related by marriage to Ao-kehu; he was married to Kauika's daughter Raka-takapō, who was one of Ao-kehu's grand-nieces. Tama-āhua belonged to Whanganui, and Raka-takapō to Waitōtara. Well then, Ao-kehu told Tama-āhua, 'You go on ahead, and tomorrow I'll be there. But when you get there, do not tread the banks of the Whanganui.'

Well then, Tama-āhua returned. And behind him, Ao-kehu summoned his people and told them that next day they must set out before it was light. Well then, they slept. And before the first rays of dawn, Ao-kehu's people rose up — and his seven-score men set out on their journey. With him, Ao-kehu took his two weapons Tai-timu and Tai-paroa; these were shark-tooth knives. So then Ao-kehu set out with his war party. When he reached Whanganui — that's to say, Tōtara-puku — he found Tama-āhua and his people there.

So then Ao-kehu said, 'Now where is this monster living?'

The guardians of the land told him, 'Not far away. Do you see Taumaha-aute, that ridge over there? He's just down below.'

Ao-kehu told his people, 'Go and cut a log the same length as myself, and bring it here. Adze it into a chest for me, and make a lid as well.'

Then the local people said to him, 'Do your work later, after food has been cooked.'

But Ao-kehu told them, 'No, we'll wait to eat. The food can be cooked when I have killed the monster.'

Well then, it didn't take long to make the chest, then the lid, and some holes were bored for the lashings. When it was finished, Ao-kehu called to all the people, 'After you have set me afloat, make your way over the ridges so you can watch as I am swallowed down into Tūtae-

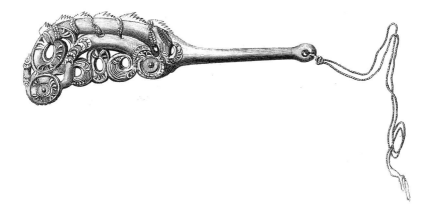

Shark-tooth knives were used for ceremonial purposes.

poroporo's belly. But I tell you this. When the teeth of Tai-timu and Tai-paroa begin devouring his spines, his jawbones will very soon be drying on the shore!'

Ao-kehu said no more. He took up his weapons Tai-timu and Tai-paroa, and he entered his chest. It was lashed together through the holes they had bored, and the holes were plastered with clay to stop the water getting in. Then when this was done, and everything in order, they lowered him into the water.

The chest with this brave warrior Ao-kehu floated along, and all the people went up over the ridges to watch. After a while it came close to the monster's home. *Ehara*, the taniwha recognised the good smell of his food! He seized the man and his chest, and he swallowed them down into his belly. The people who had made their way overland saw this happening below them. Then afterwards the monster went back to his home.

When the man realised that the taniwha was back in his den he began reciting a taniwha-destroying karakia, then another one to make him rise up, float to the surface and drift ashore. Here is his karakia — that's to say, the one to put the taniwha to sleep.

It's me, it's me, Tū, a high chief,
It's me, Tū, your high chief above here!
I'm advancing upon the fearsome demon below,
The awesome demon below —
The little cockle below,
The sandhopper below, that's you!
You are the one that was dived for, followed

To the foundation of your house
Where stands your source of strength,
Where stand your spines, your mauri.
And so your strength is bound by me —
By great Rangi standing here!
Make him weak, make him sleep.
I'm advancing upon your spiny back
That's angry here, raging here.
Pierce, pierce the pillar of your heart,
Pierce the pillar of the strength through which you live and act!
Your gnashing teeth are pierced, and your angry, spiny back.
You are sleeping, you are weak.

Ehara! Then he recited a karakia to bring up the taniwha, to make him float up.

The foundation below, rise up to me,
The rock below, rise up to me here —
To the man saying the words
That make you come, fly up to the light of day!
You are lifted up,
You are raised up,
The hauling resounds, lift up, *ee, ee!*

Ehara! The taniwha floated up to the surface and drifted ashore at the mouth of the Purua Stream. Well then, some of the men cut the lashings on the brave warrior's chest, and he came out from inside the belly of the taniwha. And then he cut open the belly with his shark-tooth knives, Tai-timu and Tai-paroa.

Well then, the people up in the pā at Taumaha-aute saw what was happening below them, and they all came down to cut up their defeated enemy. Men, women and children were found inside that taniwha's belly. Well then, they took the bodies into the pā at Taumaha-aute to bury them. As for the taniwha, it was cut up and left as food for the birds of the air and the fish of the sea.

Well, that's the end of the story of the killing of this taniwha. The Whanganui people were greatly delighted when Tūtae-poroporo died, because at last they could return to their river — the Whanganui — and their villages.

11 *The man who came back*

STORIES WHICH MIGHT seem to be local tales sometimes turn out to have been passed down in tradition, and to have travelled considerable distances. The story of Te Ata-rahi was first written down by Piripi Matewha, probably in the Hauraki region in the 1840s or 1850s. This version, a very similar one, was written in 1871 by Wiremu Te Wheoro of Ngāti Mahuta in the lower Waikato.

Ko Te Ata-rahi

KA NOHO A Te Ata-rahi i Hauraki; no Ngāti Paoa.
Ka mate te tangata nei, ka tanumia. Ka tae ki te raumati, ki te marama e kohera ai te kōrari, kātahi te tangata nei ka puta ake i roto i tōna rua, he mea hou kē mai i tahaki o te rua; ko ngā māhunga kua horo noa atu.

Te putanga mai o taua tūpāpaku, haere ana ki runga i te kōrari inu ai i te wai o te kōrari, pēnei ai me te manu e inu i te wai kōrari nei. Ko tōna angaanga anake, me ngā wheua.

Tēnei te tira tangata nei te haere atu nei, me te inu haere atu anō i te kōrari. Nāwai i tawhiti, ka tata, ka kitea. Ka mōhio atu te tira tangata nei, he tūpāpaku.

Ka hoki ngā tāngata nei ki te kāinga, ka kōrero atu, 'Kotahi tēnei tangata, he tūpāpaku, kei runga i te kōrari e inu ana. Ko te pane kau, kāore he māhunga, me ngā wheua anō. I wehi mātou, oma mai ana.'

Kātahi te nuinga ka haere ki te titiro. Rokohanga atu e inu ana i te kōrari. Ka mātakitaki; hoki mai ana, ka kōrero ki ngā kaumātua, 'Ko wai rānei tēnei tūpāpaku?'

Kātahi ka tīkina, ka tirohia ngā rua tūpāpaku. Kātahi ka kitea ki te rua e hāmama ana, he mea whakaputa kē mai ki tahaki. Ka tirohia a roto i te rua, kāore kau a Te Ata-rahi i tōna rua.

Kātahi ka haere ki te hopu. Rokohanga atu anō e noho ana i runga i te kōrari. E haere atu ana te kaihopu, tūpeke kē ana, noho rawa atu i runga i tētehi atu kōrari. Ka whai atu anō, tahi anō tūpekenga, noho rawa i runga i te mauku.

Kātahi ka tīkina he tohunga hei karakia. Ka tae mai te tohunga, kātahi ka karakiatia. Nāwai i runga i te mauku, e neke iho ana, e neke iho ana. Nāwai, ā, ka tatū kei raro. Kua tata atu ngā tohunga, kātahi ka aratakina ki runga i te tūāhu, ka hoki mai ōna kikokiko. Nāwai, ā, ka āhua tangata. Ka whāngaia ki te kai, nāwai, ā, ka ora te tangata nei.

Noho ana, kua ora, kua rite anō ki tona oranga. Engari ko tōna māhunga kīhai i hohoro te tupu. No tōna tatanga anō ki tōna matenga tuarua, ka tupu ake te māhunga. Kotahi pea tau e noho ana i te tupunga o tōna māhunga, kātahi ka mate rawa atu, kīhai i hoki mai.

E noho nei anō ngā tāngata i kite i taua tūpāpaku, tae noa ki nāianei, ki tēnei tau 1871. He maha ngā tau o taua tūpāpaku e noho ana, ko tōna matenga i oti atu ai, kīhai i hoki mai.

Te Ata-rahi

TE ATA-RAHI LIVED at Hauraki; he belonged to Ngāti Paoa. This man died, and was buried. Then when summer came, and the month when the flax flowers open, he came up out of his grave — he pushed his way out sideways some distance from the grave. All his hair had fallen out.

After the dead man came out, he went around on the flax flowers drinking their nectar, just like a bird drinking the nectar of the flax. There was only his head and his bones.

A party of travellers came along, drinking from the flax flowers as they went. At first they were a long way off, then they came close and they saw him. The travellers knew it was a dead man.

They went back to the village and told them, 'There's this man, a dead man, up on the flax flowers, drinking from them. There's only his head, with no hair, and his bones. We were frightened and we ran back.'

So the others went to look. They found him drinking from the flax flowers. They watched him, then they spoke to the elders. 'Who can this dead man be?'

So they went and looked at the graves where the bodies lay. They saw a grave gaping wide, with a hole where something had come out some distance away, and when they looked inside the grave Te Ata-rahi wasn't there. So then they went to catch him, and again they found him sitting up on the flax flowers. They chased him, he gave one bound and he landed on some mauku fern.

Then they went to fetch tohunga to perform rituals over him. The tohunga came and they performed their rituals. For a while he stayed up on

*The nectar of the
flax was a favourite
drink.*

the fern, then he started slipping down, and at last he reached the
ground.

When the tohunga had approached him, they led him on to the tūāhu
and his flesh came back. After a while he took on the appearance of a
man. He was given some food, and after a while this man recovered.

He lived on there in good health, just as in his lifetime. But his hair
didn't grow quickly. It only grew back when he was approaching his
second death. He lived for about a year after his hair grew, then he died
permanently and he didn't come back.

There are people living now who saw that dead man. They are still
with us now, in 1871. After the dead man had lived for many years he
died, and that was the end of it. He didn't come back.

12 *The woman brought back from the underworld*

STORIES IN WHICH a woman goes down to death in the underworld, but is rescued by a lover or brother and brought back up, exist in different parts of the world. The best known is the Greek myth of Orpheus and Eurydice.

In most cases, these stories evolved independently. But the story of Pare and Hutu may be related to a Hawaiian one about a man named Hiku who meets a woman, Kawelu, while throwing a dart; later he leaves her, she kills herself, and he visits the underworld and succeeds, by climbing a rope, in bringing her soul back to this world. If these two stories do have a common origin, they must have led a separate existence for at least 1 000 years. Quite possibly they really are as old as this. There are other Polynesian stories which go back 1 000 and even 2 000 years.

Pare, in the Māori story, is a puhi, a girl of high rank who was cherished and closely guarded by her people until a suitable marriage could be arranged for her. She kills herself through love and shame when her overtures are rejected, and, to restore her to life, the man she loves makes the dangerous journey to the underworld. Hine-nui-te-pō, or Great-woman-the-night, who shows him the way, is a mythical figure believed to guard the entrance to the underworld, or sometimes to live down there.

Rangatira often had more than one wife, but their first wife was generally the one with the senior status. For this reason a girl who was a puhi would not normally be given in marriage to someone who was already married. In this case, though, Pare's grateful people ask him to take her as his second wife and there is a happy ending.

A woman named Hariata, of Waikato, told the story in 1866 to the Rev. Richard Taylor. By then the Māori had been Christian for many years and most rangatira had only one wife, but there were still a few with two wives. In the last sentence, Hariata may be thinking of the Pākehā custom by which a woman takes her husband's surname.

66

Ko Pare rāua ko Hutu

NA, TĒRĀ TĒTEHI wahine puhi, ko Pare te ingoa, he tino rangatira taua wahine. I noho ki tōna whare; e toru ngā taiepa o tōna whare, he māhihi. Te mea i noho puhi ai ia hei tino rangatira mo tōna iwi, kāore hoki i rite tētehi o tōna iwi ki a ia te nui.

Ki te mea ka haria he kai ma taua wahine, me hoatu ki te pononga tuatahi, māna e hoatu ki te tuarua, māna e hoatu ki te pononga tuatoru, ma te tuatoru e hoatu ki a Pare. Ko roto i tōna whare he mea whaka-paipai rawa — he kaitaka, he korowai, he tōpuni. Ko ngā whakakakara, he kawakawa.

Na, ko tētehi rā tākaro no te iwi, he tā pōtaka, he tekateka, ka puta mai tētehi tangata rangatira, ko Hutu te ingoa, ka tākaro tahi me rātou; he tino mōhio ia ki te tekateka, ki te tā pōtaka. Na, ko tāna te mea e tino rere ana, ka whakamīharo te iwi ki tōna mōhio. Turituri ana, ka rongo a Pare ki te turituri, ka hiahia ia ki te haere mai ki te whatitoka o tōna whare mātakitaki ai.

Te rerenga o te teka a Hutu, tae ana ki te whatitoka o te whare o Pare; na, tangohia ana e Pare. Haere ana a Hutu ki te tiki; te taenga atu, kīhai i hōmai. Na, ka kī a Hutu kia hōmai tāna teka, ka kī a Pare me haere mai ia ki te whare kia kōrero ai ia; ka kī a Pare ka nui tōna pai ki a Hutu.

Ka mea a Hutu e kore ia e pai, no te mea he hoa anō tōna, he tamariki āna. Na, ka kī a Pare kia ahatia, no te mea he tino nui no tōna pai ki a Hutu — he mōhio nōna ki ngā tākaro, ko tāna te pōtaka i ngurunguru, te teka i kaha te rere, na reira i nui ai tōna pai.

Ka tautohe rāua, ka kī a Hutu kāore ia e pai, ka kī a Pare me pēhea koia, he nui tōna pai ki a ia. Kīhai a Hutu i pai, otiia i tūtakina e Pare ki tōna whare. Ka mea a Hutu kia haere, ka whai mai anō a Pare. Ka tae ki waho, ka kī a Hutu, 'E noho koe ki konā. Wāhi iti ka hoki mai ahau.'

Haere ana a Hutu; i rere tonu atu. Ka kite a Pare i a Hutu e rere ana, ka poroporoaki, ka mea, 'Haere ra, e Hutu e, haere ki tōu kāinga!'

Hoki ana a Pare ki tōna kāinga; ka tae ki tōna whare, ka karanga i ōna pononga ki te whakapai i tōna whare, i ngā mea o roto, ka tārona i a ia.

No te rongonga o te iwi kua mate a Pare, ka nui tō rātou pōuri, ka mea ko Hutu anō hei utu. Ka rongo a Hutu, kātahi ka haere mai ki te whare o Pare. Na, ka kī ki te iwi e pai ana ia ko ia anō hei utu, engari taihoa e tanu i te tinana o Pare kia hoki mai ra anō ia.

Whakaāe ana te iwi, haere ana ia. Ka tae ia ki Te Rerenga Wairua, na, ka kite ia i a Hine-nui-te-pō, ka pātai ia, 'Kei whea te ara ki raro?'

Ka whakaaturia ki te ara rerenga kurī, kātahi ka hoatu e Hutu ko tōna pounamu. Kātahi ka whakaatu ia i te huarahi tangata. Ko tā Hine-nui-te-pō hanga he māminga kia riro mai ai he taonga mōna.

Kātahi ka taka kai a Hine-nui-te-pō ma Hutu; ka patua he roi, ka mea-tia ki te kete, ka kī ki a Hutu, 'Ka tae koe ki raro, kia āta kai i ō kai, kei hohoro te pau. Ka kai koe i ō reira kai, ka kore koe e hoki ake.'

Na, whakaāe ana a Hutu. Ka kī ia ki a Hutu, 'Me tūohu tō māhunga ki raro, ka rere koe ki te ao pōuri. Na, ka tata koe ki raro, ma te hau o raro koe e pupuhi; ka ara tō māhunga ki runga, ka tū ō waewae ki raro.'

Te taenga o Hutu ki raro, kātahi ka haere ia ki te kimi i a Pare. Ka pātaia e ia, ka kīia mai e ngā tāngata, 'Kei te pā.'

A mōrere, or swing. In reality, people swung out over a stream, then let go their rope. In this story, the top of a mōrere is pulled to the ground and Hutu and Pare sit upon it.

Na, ka rongo a Pare ko Hutu tērā, kīhai i puta ki waho. Kātahi a Hutu ka whakaatu [i] tētehi tākaro, he tekateka, he tā pōtaka; na, kāore a Pare i pai ki te puta mai. Na, ka whakaatu[ria] e Hutu he mōrere ki runga i tētehi rākau teitei; ka whiria ngā taura, ka whakanoia ki runga ki te mōrere, ka kumea te taura kia piko iho ai te mata o te rākau ki te whenua. Ka piri te matamata o te rākau, ka noho a Hutu ki runga, ka meatia e ia he tangata ki runga i tōna pokohiwi. Ka karanga ia kia tukua, ka maranga te mōrere ki runga.

Ka nui te āhuareka o ngā tāngata ki te mahi a Hutu. No te maha o āna meatanga, kātahi ka puta mai te wairua o Pare, ka mātakitaki. Ka nui te koa o Hutu i tōna putanga mai ki waho. No te nuinga o tōna āhuarekatanga, ka karanga ia kia tukua ia ki runga i ngā pokohiwi o Hutu. Ka nui te koa o Hutu i te taenga mai ki runga ki a ia. Na, ka kī ia ki a Pare, 'Nā, kia kaha tō pupuri ki tōku kakī.'

Ka kī ia kia kumea te mōrere kia tino piko iho ki te whenua. No te taunga ki raro, ka kī, 'Tukua!'

Te tukunga, kaha te ara ki runga. Na, ka tika tonu te mata o te rākau ki runga, rere ana te taura, pā tonu ana ki te whenua o runga. Na, hopu ana a Hutu i ngā otaota o te kūwaha, piki tonu ake ana, me Pare anō e mau ana ki a ia.

Tae ana rāua ki runga, haere mai ana rāua ki te kāinga, ki te whare o Pare; te taenga mai o te wairua o Pare ki tōna tinana, ora tonu ake. Na te whakamoemiti o te iwi ki tōna oranga, tohe ana rātou ko Hutu hei hoa mo Pare.

Ka kī a Hutu, 'Me aha āku tamariki me tōku hoa?'

Ka mea rātou, 'Me punarua.'

Whakaāe ana ia, ā, huaina a Pare ko Pare Hutu.

Pare and Hutu

NOW THERE WAS once a woman, called Pare, who was a puhi. This woman was of very high birth. She lived in her house, a carved house with three fences around it. The reason she was set apart like this, the greatest of all her tribe, is that not one of them was of such high rank as herself.

When food was brought to the woman it was given to a first attendant, who gave it to a second, who gave it to a third, who gave it to Pare. Inside her house there were the most beautiful things — kaitaka cloaks, korowai cloaks, and black dogskin capes. To scent it, there were kawakawa leaves.

Now one day when her people were playing games, whipping tops and throwing darts, a man of high rank, called Hutu, appeared and joined in the games. This man was very skilful at throwing darts and whipping tops; his flew best of all, and the people were astonished at his skill. They applauded so loudly that Pare heard the noise and came to watch at the doorway of her house.

Hutu's dart flew through the air and landed by the door, and Pare caught it up. He went to fetch it, but she wouldn't let him have it. When Hutu told her to give it to him, Pare said he must come into her house and talk to her. And Pare told him she loved him.

Hutu said he didn't want to go inside because he already had a wife and children. Pare said this didn't matter, she loved him very much. It was he who was the most skilful at the games; his top sounded the loudest and his dart flew the best, and because of this she loved him.

They argued like this, Hutu saying he wasn't willing and Pare saying it made no difference, she loved him very much. Then although he didn't want to go inside, she took him in and shut the door. Hutu said he must go, but Pare kept pursuing him. When they were outside again he told her, 'You stay here, and soon I'll come back.'

Then he left — he ran off quickly. When Pare saw Hutu running away, she called her farewell. 'Goodbye Hutu, go to your home!'

Then Pare returned to her home. When she reached her house she told her attendants to adorn the house and the things within it. And then she strangled herself.

When Pare's people heard she was dead they were overcome with grief, and said that Hutu must die for this. Hutu heard what had happened and he came to Pare's house. He told them he was willing to die in recompense for her death, but that they must not bury Pare's body until he returned.

The people agreed to this, and he set off. When he came to the Leaping Place of the Wairua he saw Hine-nui-te-pō, and he asked, 'Where is the path to the underworld?'

She pointed to the path by which dogs go down. Then Hutu gave her his greenstone, and she showed him the path that people take. Hine-nui-te-pō used to deceive people like this in order to acquire property.

So then Hine-nui-te-pō prepared some food for Hutu. She pounded some fernroot and put it in a basket, saying to him, 'When you reach the underworld, eat this little by little so you don't finish it too soon. If you eat the food down there, you can never come back to this world.'

Now Hutu said he would do as she told him. And she told Hutu, 'If you bend your head down, you will fly down to the dark world. When you are nearly there the wind from below will blow your head upwards, and you will land on your feet.'

When Hutu arrived in the underworld he went looking for Pare. He asked where she was, and the people told him, 'In the village.'

Now Pare heard that Hutu was there, and she wouldn't go outside. So then Hutu showed them how to play games, throwing darts and spinning tops, but still she wouldn't come out. So he showed them how to make a swing from a tall tree. They plaited ropes and fastened them to the top of the swing, then pulled on the ropes so it bent to the ground. Hutu sat on the tree-top and told one of them to hold on to his shoulders. Then he called to them to let go, and the swing sprang upright.

The people greatly enjoyed Hutu's game, and made such a commotion at all the things he did that Pare's soul came out to watch. Hutu was delighted at this. Pare liked the game so much that she asked to sit on his shoulders. Overjoyed, he said to her, 'Hold on tight to my neck.'

He told them to pull the swing right down to the ground, as far as it would go. Then he called, 'Let it go!'

When they let go, it sprang up with such force that the tree-top went right up, and the ropes flew up to the land above. Hutu caught hold of the plants at the entrance and kept climbing upwards, with Pare holding on to him.

When they came to the upper world they made their way to the village, and Pare's house, and when Pare's wairua reached her body she was alive again. Her people were so delighted and grateful that they insisted Hutu should marry Pare.

Hutu said, 'What about my wife and children?'

They told him, 'You must have two wives.'

Hutu agreed to this, and Pare became known as Pare Hutu.

13 The lover from the underworld

ON THE WEST Coast of the North Island, a man named Miru was often believed to be the ruler of the underworld. He was thought to live down there in a great house and to be the source of much knowledge, including the skills required for games and witchcraft. Myths tell of dangerous journeys to Te Rēinga in the underworld, of knowledge acquired in Miru's house, and of the price which was then exacted before the travellers were permitted to return to the world above.

One story has Miru visiting a human woman in the world, coming by night just as fairy lovers were thought to do. He invites the woman's father to visit him in the underworld, and there he imparts to him much tapu knowledge. But as payment, the father is forced to leave his younger daughter in Miru's house.

In another version, which is published here, the lover who comes by night is not Miru but Tūhoropunga, one of Miru's companions in the underworld. When the humans visit him in the house, they apparently acquire knowledge — though the acquisition of knowledge in the underworld is mentioned only at the end of this story.

When the younger daughter is forced to remain down there, the father sings a lament farewelling her. In his song the daughter is likened to greenstone, a shark-tooth earring, an albatross plume, and the bird itself. On her journey to death she is envisaged as flying off like an albatross and sailing away in a canoe.

This ancient lament was often sung at funerals, with the person mourned being identified with the daughter who was entrapped in the underworld.

The story was written in 1864 by Wiremu Hoeta, who lived at Toihau in the Kāwhia district.

Ko Hine-kōrangi

HE KŌRERO TĒNEI mo Hine-kōrangi, he wahine i puhia e tōna matua. Kāore e tuku kia moe i te tāne. Ka hiahiatia e te tāne kia moea, kāore e pai te iwi me ngā mātua o taua wahine nei. Kātahi ka hangaa he whare whakairo mo taua wahine nei. Ka oti, kāore te tangata e tata atu, i te wehi ka mate.

Ākuanei ka haere mai tētahi tangata no Te Rēinga, he wairua, ko Tūhoropunga te ingoa. Ka tae ki roto ki te whare o Hine-kōrangi, ka puta te kakara ki a Hine-kōrangi. Ka pātai atu te wahine nei, 'Ko wai tēnei?'

Ka kī mai, 'Ko au.'

Ka rua āna pātainga atu. 'I haere mai koe i whea?'

Ka kī atu anō te tangata ra, 'E kore koe e mōhio ki a au. He tauhou au ki tēnei kāinga.'

Ka kī atu te wahine ra, 'Āe, inā hoki tōu tohu kua tae mai nei ki a au. Mehemea no konei anō, kāore e pēnei, me tōu āhua me tōu tohu.'

Heoi, ka tupu te hiahia o te wahine nei ki te tangata ra, ka tupu tō te tangata ra ki te wahine ra. Heoi, ka piri ki a rāua, moe tonu iho i taua pō. Kua pai ā rāua kōrerorero ki a rāua, ākuanei moe tonu.

Ā, ka tangi te pītoitoi, ka haere te tangata ra. Na, ka kī atu te wahine nei, 'E noho tāua kia rokohanga mai tāua e taku matua, e taku iwi, kia tūturu tā tāua moe. Ākuanei koe whakarere ai i a au.'

Ka kī atu te tangata ra, 'Māu e kōrero atu ki tō matua, ki tō iwi. Kia pō, ka hoki mai au.'

Ka mea te wahine, 'Āe.'

Ka haere te tāne ki tōna kāinga, ki raro ki Te Rēinga.

Na, ka awatea, ka puta mai te matua o Hine-kōrangi kia kite i a ia. Rokohanga mai e tangi ana tana kōtiro, ka pātai: 'E kui, he aha tāu e tangi?'

Ka kī te kōtiro, 'E tangi ana au ki taku tāne.'

Ko te matua: 'No hea tō tāne?'

'Aua. Kāore au e mōhio. Ka nui te pai o taku tāne.'

Kātahi ka puta te tangata ra ki waho o te whare, ka karanga ki te iwi, 'Whakarongo mai, e te iwi. Ko tō koutou rangatira kua moe i te tāne.'

Ka puta te kī a te iwi, 'Ka pai na tō tātou rangatira ki te moe tāne māna.'

Whakaāetia atu ki tāna i kite ai, ki tāna hoki i pai ai. Na, ka whakaāetia e te iwi katoa, 'Āe.'

I te pō ka tae mai anō te tāne ki tāna wahine, ka moe anō rāua. Ka tangi te pītoitoi, ka haere anō te tangata ra.

Tae noa mai te hungawai, kua riro tana hunaonga; ko te kōtiro anake i rokohanga mai e tangi ana. Ka pātai mai te matua, 'Kei whea tō tāne?'

'Kua riro anō i mua mai na i a koe.'

Ka kī te matua, 'E kore rānei e hoki mai?'

Ka kī atu te kōtiro ra, 'Kia pō ka hoki mai.'

Ko te matua: 'Ka tae mai tō tāne, ko te mahimahi; kaua e tukua. Kia tata ki te awatea, ka tuku, kia mau ai i a au.'

Ko te kōtiro: 'Āe. Hei te pō ka tae mai.'

Ka hoki te matua ki waho.

I te pō ka puta mai te tāne a te wahine ra, ka moe anō rāua. Tū-roto-waenga ka hoki mai te hungawai, ka noho ki waho o te whare. Kātahi ka purua ngā wini me te whatitoka o te whare ki te weruweru, kia pōuri, kei kite i te mārama, kei hohoro te haere. Na, kātahi ka tiakina e te tangata ra, e te iwi katoa.

Na, ka tākiri te ata, ka kitea te kanohi o te tangata. Nāwai, ka puta te rā. Kātahi ka oho te tangata ra i te moe. Oho rawa ake, kua ngau te rā ki roto i te whare, kua kī te marae o te kāinga i te iwi katoa. Kātahi ka rererere noa iho te tangata nei i roto i te whare, ka kimi i te ara putanga mōna ki waho. Me pēwhea hoki e puta ai? Kua kitea nei hoki ia e te iwi ra.

Kātahi te matua o te wahine ra ka tomo atu ki roto. Na, ko te kakara o taua tangata nei kua puta mai ki a ia. Na, ka puta te whakamoemiti a te tangata nei ki tana hunaonga: 'Ātae anō hoki taku taonga! Ehara i te hanga inā kori anō, i tangi ai taku kōtiro. Kātae anō hoki, e kui, te pai o tō tāne! Rere! Kia pai ki tōu hoa, ki tāu tāne.'

Kātahi ka rere atu te pātai a te tangata nei ki tana hunaonga: 'Tēnā, i haere mai koe i whea? Kātahi nei hoki koe ka kitea atu e au.'

Kātahi ka kī mai, 'E kore koe e mōhio ki a au. Ehara au i konei.'

Ko te hungawai, 'Oti, i haere mai koe i whea?'

Ko te tangata ra: 'Tōku kāinga ehara i konei, engari tōku kāinga kei raro, kei Te Rēinga.'

Ko te hungawai: 'Ka tae mai anō koe ki konei, e noho i konei, e moe i tāu wahine?'

Ko te hunaonga: 'Āe.'

Kātahi ka kī te hungawai, 'E kore koe e pai kia haere au ki tō kāinga?'

'E pai ana. Engari ki te haere ake koe ki taku kāinga, haria ake anō he kai māu. Hei te ngahuru ka haere, kia hua he kai māu hei haringa ake. Ki te haere ake koe, kia nui te haere ake. Te take o ngā kai i kīia atu ai kia haria: ki te kai koe i ō reira kai, e kore koe e hoki ake ki te kāinga, arā ki te ao nei.

'Na, ka haere ake, ka tae ki te aka e totoro ana i te taha i matau, koia tēnā te ara. Ka tae ki raro, ka kite i te take tutu e tupu ana i te taha ki māui; kei titiro, ka mate. Ka haere ake, ka kite anō i te take toetoe e tupu ana i te taha ki māui; kei titiro, ka mate.'

Ka kī te hungawai, 'Āe.'

Na, kātahi ka kahu te tangata nei i ana kahu whakapaipai, arā he kaitaka, he parawai, he kahu waero, he tōpuni — ko ō mua kahu pai tēnei; no te rangatira ēnei kākahu. Na, kātahi ka puta ki waho o te whare;

ko te māhunga tiaina ki te hūia, ki te kōtuku — makaa te wharawhara.
Na, ka puta te whakataukī, 'Me te toroa e tau ana i runga i te au!'
Ka puta te maioha a te iwi:

Haere mai ra, e te taonga,
Haere mai ra, e te manuhiri tūārangi,
Na taku pōtiki koi tiki atu
Ki te whetū o te rangi kukume mai ai, a-a!

Ka titiro te iwi, ka whakamoemiti ki a ia. Heoi, kātahi ka hoki te tangata ra ki tōna kāinga, ki raro ki Te Rēinga. Ka tae ki Mirimiri-te-pō, ka noho i reira.

Ka tae ki te marama i kīia mai ra hei haerenga atu mo tana hungawai, ka haere te iwi nei ki raro, ki Te Rēinga. Haere ake kotahi rau. Ka tae ki te ara i kīia mai ra e tana hunaonga; tae rawa atu, kua motu te aka haerenga ki raro ki Te Rēinga. Kātahi ka whiria ki te taura hei huarahi ki raro; e rua ngā rā e whiri ana.

Kātahi ka whakahoroa te taura, ka tatū te taura ki raro. Kātahi ka rere katoa te iwi nei i runga i te taura nei, ka tatū ki raro. Ka haere, ka tae ki te take tutu i kīia mai ra, kei titiro. Ākuanei titiro ana ētahi, mate tonu iho ētahi. Haere tonu, te take toetoe i kīia ra, kei titiro. Ākuanei titiro ana ētahi ki reira, mate tonu iho. Heoi ka haere tonu, ka tae ki te whare o te tangata ra.

Ka tomo ki roto i te whare, ki Mirimiri-te-pō, ka noho ki te kokonga. Kotahi marama e noho ana i reira, ka mea kia hoki mai ki te ao nei. Kātahi ka puta mai te kupu a te hunaonga ki a ia. 'Me waiho tō kōtiro i konei, te teina o Hine-kōrangi.'

Kātahi ka kī atu te hungawai, 'Ko te mea kua pāngia e tō kiri, ko tēnā [a]nō ki a koe.'

Ka kī te hunaonga, 'Ki te tohe koe kia riro tō kōtiro i a koe, ka mate koe. Kaua e tohe mai!'

Ko te hungawai: 'Me pēhea taku aroha ki tāku kōtiro. Nāu hoki au i tae mai ai ki konei.'

Ka kī te hunaonga, 'Me waiho. Kaua e tohe.'

Kātahi ka tīmataria tana tangi aroha mo tāna kōtiro. Koia tēnei waiata:

E noho, e hine, i Mirimiri-te-pō,
Te tatau o te pō! Ko te whare tēnā
O Rua-kūmea, o Rua-tōia, o Miru ra ē,
O Tūhoropunga, o Kaiponu-kino,
Nāna koe i maka ki te kōpai o te whare ī,
Kei huri mai hoki tō wairua ora, e tama, ki a au ī!

Nau mai, e te tau, ki roto nei tāua,
Ki' titiro iho ai taku tongarerewa,
He mōtoi taniwha no roto i te kopa
Na tō whaea, na tō tuakana, na Hine-kōrangi,
He awe toroa no runga i Karewa,
Nāna i unu ake! Tukua mai kia rere ī!

E tama mā e, tauwhirotia mai te waka o te makau!
Me tuku kia whano ngā matakūrae ki One-tahua,
Ki' wawe ia te ū ki Ōtamaihea, te whenua ra ē
Kīhai au i kite, e takahia mai e Tū-ki-Hawaiki ā!

Ko te mutunga tēnei a te waiata.

Kātahi ka hoki mai, ka mahue atu te kōtiro ra i a Tūhoropunga hei wahine māna, hei takahi i te whāwhārua o tōna tuakana, o Hine-kōrangi.

Na, ka haere mai, tae noa mai ki te huarahi, kua motu te taura. Heoi, ka pōrangi noa iho i reira, ka piki noa ake i reira. Na, ka rongo i te tangi a te ruru, kātahi ka mōhio ko te ao tērā, e tangi iho nei te ruru.

Na, ka eke ki runga, ka haere, ka tae ki te kāinga. Ka kite a Hine-kōrangi kua ngaro tāna teina, kātahi ka pātai mai a Hine-kōrangi, 'Kei whea tō kōtiro?'

'Kua noho atu.'

Ka tupu te tangi a te wahine nei; na, me te wai e rere ana te roimata o te wahine nei.

Tēnei kāinga a One-tahua, a Ōtamaihea, kei Tūrangi — arā, kei Taranaki. Ki te haere te tangata i taua one, e kore e tuhaina te hūhare ki te one, te mimi e kore e mīia ki reira — ka mate; he mana tau[a] one nei. Tētehi, he wehi mākutu. Ko te take o te mākutu, i tupu mai i Mirimiri-te-pō.

No te haerenga o te teretere ra, ka kite e mahi ana ngā tāngata o reira; no konā, ka mōhio ngā tāngata o Taranaki ki te mākutu. Ka tāhae te tangata i te kai, i te taonga rānei, ka mate i te mākutu.

Ngā kai i haria ake o Te Rēinga he taro, he kūmara; no reira ēnei kai. He tini ngā kai o tērā kāinga, o raro i te whenua.

Na, ki te kai tētahi tangata i te kai, ka tuha tētahi i tōna hūhare, i tōna hūpē rānei, i tōna wharo rānei, ka piki rānei i tōna moenga rānei, ka mākuturia, ka mate; e kī ana te Māori.

Heoi anō tēnei kōrero.

na Wiremu Hoeta
Kumete, Toihau, Kāwhia.

Inate he mana tau one nei
tetihi he weki makutu No te
take o te makutu i tupu mai
i Mirimiritepo no te te hae
renga o tereterera ka kite
e waki ana nga tangata o reira
no kona ka mohio nga tangata
o Taranaki ki te makutu ka
ta hae te tangata i te kai i
te taonga ranei ka mate i te
makutu ngakai i waria ake
o te Reinga he Zaro he kumara
no reira enei kai hetini nga
kai o te ra kainga o raro
i te wenua na ki te kai
te tahi tangata i te kai ka
tuka te tahi i tona huhare i
tona hupe ranei i tona wharo
no ranei kapiki ranei i tona moe
nga ranei ka makuta ria kat
mate e ki ana te maori

He oi ano tenei korero
Na Wiremu Hoeta
Kumete Toihau

Ka Wia

The last page of Wiremu Hoeta's manuscript.

Hine-kōrangi

THIS IS A story about Hine-kōrangi, a woman whose father made her
a puhi and wouldn't allow her to marry. Men wanted to marry her,
but her tribe and her parents wouldn't permit it. A carved house was built
for her, and when it was finished no man dared approach it for fear of
death.

Presently there came a man from Te Rēinga. He was a spirit, and his
name was Tūhoropunga. He entered Hine-kōrangi's house, and a sweet
smell came to her. She asked, 'Who's that?'

He said, 'It's me.'

She asked another question. 'Where are you from?'

Again the man spoke. 'You don't know me, I'm a stranger here.'

The woman said, 'Yes that must be so, because your sign has reached
me. If you were from here, you wouldn't be like this — with such an
appearance and such a sign.'

And so the woman came to desire the man, and the man the woman.
And so they embraced, and they lay together that night. Their con-
versation was pleasing to them, and presently they slept.

Then when the robin sang, the man went away. The woman said, 'Let's
stay here to be found by my father and my people, so our sleeping
together can be made permanent. Soon you will leave me.'

The man said, 'You're the one who must speak to your father and your
people. I will come back tonight.'

The woman said, 'Very well.'

And the man went back to his home, down in Te Rēinga.

Now when it was fully light, Hine-kōrangi's father came to visit her. He
found his daughter crying, and he asked, 'Girl, why are you crying?'

His daughter said, 'I'm crying because of my lover.'

The father: 'Where is your lover from?'

'I don't know at all. He's such a handsome man! '

So then the man went out of the house and called to the people,
'Listen, my people. Your rangatira has taken a lover.'

The people answered, 'It's very good that our rangatira has taken a
lover.'

They agreed she should have the man she had found, the one who had
pleased her. All the people gave their assent. 'Very well!'

That night the husband came again to his wife, and again they slept
together. Then when the robin sang, the man went away again. The

father-in-law came in vain, for his son-in-law was gone. He found only his daughter, crying there.

He asked, 'Where is your husband?'

'He disappeared again before you came.'

The father said, 'Won't he come back?'

The daughter told him, 'Tonight he'll come back.'

The father: 'When your husband comes, keep him busy and don't let him go. Let him go when the sun is almost up, then I'll catch him.'

The daughter: 'Very well. He'll come tonight.'

And the father went outside again.

That night the woman's husband appeared, and again they slept together. At midnight the father-in-law came and sat outside the house. So then the gaps in the windows and the doorway of the house were filled with garments to make it dark inside, so he wouldn't see the light and hurry to be gone. So then the man and all the people watched and waited.

Presently the dawn came up, and people's faces could be seen. Then after a while the sun appeared. And the man woke from his sleep. He started up, and he found the sun had come right into the house, and the marae in the village was full of people. So then he ran around inside the house trying to find a way out. But how could he escape? Because all the people had seen him.

So then the woman's father went inside. The man's sweet scent came to him, and he expressed his wonder and admiration. 'Oh how great is my treasure! No wonder my daughter desired him, and wept. Girl, what a fine man your husband is! Run to him, cherish your spouse, your husband!'

So then he hastened to question his son-in-law. 'Tell me, where are you from? Because this is the first time I have seen you.'

So then he answered, 'You don't know me, I don't belong here.'

The father-in-law: 'Well then, where are you from?'

The man: 'My home isn't here, it's down in Te Rēinga.'

The father-in-law: 'And you come here to stay a while, and sleep with your wife?'

The son-in-law: 'Yes.'

So then the father-in-law said, 'Won't you allow me to visit your home?'

'Yes, I agree. But when you come to my home, bring some food to eat. Come at harvest time, so you can bring plenty of food. And when you come, many people must accompany you. The reason I've told you to bring food is that if you were to eat the food in that place, you would never return to your home — that's to say, to this world.

79

'Now, when you set off, you'll come to a vine that stretches down on the right-hand side. That's the way to go. Down below you'll see a tutu bush growing on the left-hand side. Don't look at it, or you'll die. Further on you'll see a toetoe plant growing on the left-hand side. Don't look at it, or you'll die.'

The father-in-law said, 'Very well.'

So then the man arrayed himself in his finely woven garments: a kaitaka cloak, a korowai cloak, a dogtail cape and a black dogskin cape. These were the fine garments of former times, the garments of rangatira. So then he came out of the house, his head adorned with huia feathers and white-heron feathers — an abundance of white-heron plumes. And the saying went forth, 'Like the albatross floating upon the current!'

And the people sang their greetings:

Welcome to our treasure,
Welcome to the visitor from afar!
My youngest son went forth to the stars of the sky
To bring you here!

The people gazed at him, expressing their admiration.

Well then, the man went back to his home down in Te Rēinga. He reached Mirimiri-te-pō and he stayed there.

And when it came to the month in which he had told his father-in-law to come, the people went down to Te Rēinga. One hundred of them set off. They came to the path his son-in-law had told them about, but they found the vine going down to Te Rēinga was broken. So then they plaited a rope to take them down. Two days were spent plaiting it.

Then they let down the rope, and it went right down to the under-world. So then all the people went down the rope, and they reached the bottom. They made their way on, and they came to the tutu bush they had been warned not to look at. Soon some of them did look, and they died. The rest of them kept on going, and they came to the toetoe plant they had been warned not to look at. Soon some of them did look, and they died. But the rest of them kept on going, and they reached the man's house.

They entered that house, Mirimiri-te-pō, and they stayed there in a corner. Then after they had been there a month, the father said that they wished to return to this world. So then the son-in-law spoke these words. 'You must leave behind your daughter, Hine-kōrangi's younger sister.'

So then the father-in-law said, 'Your wife is the one your body has embraced.'

The son-in-law said, 'If you insist your daughter must go with you, you will die. Don't argue with me.'

The father-in-law: 'I love my daughter so much! And I came here because of you.'

The son-in-law told him, 'You must leave her here. Don't argue with me.'

So then he began his lament for his daughter. And that was the origin of this waiata:

Stay in Mirimiri-te-pō, girl,
The door to the night. It is the house
Of Rua-kumea, Rua-tōia, Miru,
Tūhoropunga and Kaipono-kino —
It is they who threw you into the corner of the house
Lest your living spirit return to me, my child.

Come, my dear, let us go within,
Let me gaze upon my translucent greenstone,
A taniwha-tooth earring from the purse
Of your mother and your elder sister, Hine-kōrangi,
An albatross plume from above Karewa
Which he has plucked — oh, let her fly!

Friends, watch over my beloved's canoe,
Let her speed past the headlands at One-tahua
And soon reach Ōtamaihea — that land
Which I have never seen, where Tū-ki-Hawaiki treads!

That is the end of the waiata.

So then he went back, leaving his daughter with Tūhoropunga to be his wife — to tread in the footsteps of her elder sister, Hine-kōrangi.

Now they started back, but when they reached the path they found the rope was cut. Well, they ran around like mad things, and somehow they climbed up. Then they heard an owl cry, and they knew they were in the world, and the owl was crying down to them. They reached the top, and they made their way to the village.

Hine-kōrangi saw that her sister was missing, and she asked, 'Where is your daughter?'

'She stayed down there.'

At this, the woman began to weep. Her tears ran down like water.

These places called One-tahua and Ōtamaihea are at Tūrangi, that's to say in Taranaki. When someone goes along that beach he won't spit on the sand or urinate on it, in case he dies; that beach has mana. And he'll be afraid of witchcraft — witchcraft had its origin in Mirimiri-te-pō.

When parties of travellers go there, they see those people practising their witchcraft; because of these events, the Taranaki people have a knowledge of witchcraft. And if anyone steals food or property, he'll die from witchcraft.

The foods brought up from Te Rēinga were the taro and the kūmara — these foods come from there. In that place beneath the earth there are many kinds of food.

Now if a man eats food, or spits or leaves mucus, or if someone passes over his bed, he'll be bewitched and he'll die. So say the Māori.

This is the end of the story.

14 *The boy and the seedpod canoe*

A NUMBER OF stories tell of a boy who, separated from his father, struggles to gain his rightful place in society. The father is always a rangatira. The boy has been jeered at as a bastard, someone of no consequence. Helped by his mother, he makes a journey by magical means, finds his father, is ill-treated, then in a special way reveals his identity and gains his father's acceptance.

The story of Tautini-awhitia begins before his birth, with his mother experiencing a craving for birds. Her husband, Porou-anoano, goes bird-spearing as usual, but the birds he brings back are alive, and she does not eat them but keeps them as pets.

There is symbolism here. The white heron and the huia were not normally eaten but were rare birds treasured for their precious plumes, worn by people of high rank. As well, the white heron sometimes represented the male and the huia the female; when a man dreamt of the skulls of his ancestors decorated with white heron feathers it was thought that his wife would have a son, while their adornment with huia plumes foretokened a daughter. So the two birds which the woman keeps as pets together represent the event which is to occur, the child of unknown sex whom she is to have.

Light was traditionally associated with the male and darkness with the female, so it is not surprising that the white heron should sometimes represent the male and the huia, with its dark plumage, the female. When the boy in this story captures a second pair of these birds and teaches them to talk, it is no accident that the huia speaks of darkness and that the white heron then proclaims the presence of light — despite the extinguished fire in the house where their cage has been placed. The white heron's pronouncement informs the father that the woman he left behind bore a son, and that this boy is with him now.

In reality, white herons were occasionally kept in cages so their plumes could be plucked as they grew, but this was apparently not done with huia. And neither bird could be taught to speak; the only birds with this capacity were the tūī and to a lesser extent the kākā. Tautini-awhitia's birds learn to talk, and learn very quickly, because this is a tale of marvels in which everything happens as it should.

Tautini-awhitia's father, Porou-anoano, lives in the east, the direction of the rising sun, which in Māori thought was associated with life and well-being. The boy makes himself a canoe for his voyage, as heroes in myths often do, but his canoe is magical, for it is an open seedpod of the rewarewa tree. (These are shaped exactly like Māori canoes, with prow and sternpost.) Tautini finds that this tiny craft will bear his weight; he sails away, and when he lands at his father's village he is able, since it is so small, to hide it in the gravel on the beach.

The role of Tautini-awhitia's mother is the usual one of the 'female helper' in a traditional tale. She counsels the hero, giving him the information he needs, she listens when he confides in her, she weeps as she farewells him, and upon his departure she recites a karakia to ensure his safe passage across the ocean. This karakia was probably recited in reality by voyagers who wished their journey to be as successful as that which Tautini-awhitia had experienced.

No detail in the story is trivial or merely decorative. When, in the father's village, the other children go off to 'catch birds, sail boats, and do all the other things that children do — too many of them to be counted', the boy goes into the forest instead and returns with his beautiful, wise birds. This episode with the children balances and contrasts with an earlier one. On the first occasion, the boy is insulted by the children he is playing with; this time, while his companions are playing he undertakes the task that will redeem his honour. The storyteller obviously enjoyed describing these episodes, but they are there because of their significance in the unfolding of the story.

Persons of rank in Māori society did not like to tell their names to people who did not know them, thinking it shaming to be in a situation where this was necessary. Because Tautini-awhitia cannot simply say who he is, he becomes the slave of his half-brother, a boy moreover who is his junior, and he is forced to work and sleep in the cookhouse, where contact with cooked food insults his tapu, his sacredness. In this humiliating place he teaches his magic birds, and in the house that night they speak their riddle. His father understands the message and proclaims his son's identity.

Next day at dawn, Tautini-awhitia's father takes him to a sacred place by running water and performs the tohi ceremony. This ritual, which was especially important for boys of high rank, was usually performed by a father a few days after the birth of his child. Its purpose was to strengthen the boy or girl, dedicating them to the life they were to lead, and to acknowledge at the same time the child's relationship with the father.

The writer, Mohi Ruatapu of Ngāti Porou, recorded this tale in 1876.

Ko Tautini-awhitia

HE KŌRERO NO te wahine rāua ko te tāne. Ka noho te wahine nei, ka noho i tāna tāne. Ka hiakai te wahine nei ki te manu, ka kī atu ki te tāne, 'E muna ana ahau ki te manu.'

Tērā pea he tamaiti kei roto i a ia.

Ka haere te tāne ki te wero manu. Kāore, he manu e rua ngā manu a taua tangata, he hūia tētahi, he kōtuku tētahi. Kāore i kainga e te wahine nei; i waiho hei mōkaikai.

Ka hapū te wahine, ka haere ia te tāne ki tōna kāinga. Ka noho te wahine me tōna hapū; ka rite ngā marama, ka whānau tana tamaiti, he tāne. Ka whāngaia e ia, ka pakeke, ka mahi te tamaiti ra ki te whakatetere, whaka ki te tā pōtaka, ki te whakahorohoro taratahi, ki te hopuhopu manu pakupaku nei. Ka kīia mai e ngā tamariki pāpā, 'Na te pani kōkihi ra anake ngā mea rere.'

Ka mate ia i te whakamā i te kore pāpā mōhona, ka tangi haere ki tōna kōkā, ka mea atu ki tōna kōkā, 'E kui, e kui, kei hea tōku pāpā?'

'Kāore nei i konei tō matua; kei tawhiti, kei aua noa atu. Māu, e koe, e titiro ki te rerenga mai o te rā; kei konā tō matua.'

Ka haere te tamaiti ra ki rō ngahere, ka mauria mai he hua rewarewa. Ka tae kei te wai, ka whakamātauria e ia ki te wai; kāore i tahuri i a ia. Ka haere ki te kāinga, ki tōna kōkā: 'E kui, ka haere ahau ki te kāinga o tōku matua.'

Ka mea ki tōna kōkā, 'E kore rawa ahau e noho; ka nui tōku mate i te whakamā.'

Ka mea atu te kōkā ki a ia, 'E hika, kāti ra kia maoa he kai kia ora ai koe te haere.'

Ka mea atu ki a ia, 'E kore au e kai. He tīmata e taea te karo, he tao ki e kore e taea te karo.'

Ka haere te tamaiti ra, ka tae kei tōna waka hua rewarewa, ka toroa ki te wai. Ka eke ki runga ki tōna waka, ka hoe tērā. Ka tangi te kōkā, ka tangi hoki te tamaiti. Ka poroporoaki iho ki tōna kōkā, ka poroporoaki atu hoki te kōkā. Ka haere atu i te moana, ka karakia atu tōna kōkā i uta. Ko te karakia tēnei:

No 'ai te waka, no 'ai te waka? Nōhoku,
No 'Uru-mā-angiangi, no Tara-mā-angiangi.
Ko ngā mahanga ārei he punawaru.
Teretere te waka, kia tū te kōhirangi.
Rere mai, whiti nuku, whiti rangi, whiti kaupeka.
Tere te whenua nei, tere ki te uru, tīeke ana oi.
W[h]akatairanga rua te mahine ra.

Ka mutu tēnei karakia.

Ko te ingoa o te tamaiti ra, ko Tautini-awhitia. Ko te pāpā, ko Porou-anoano te ingoa. Ko te kōkā, ko Huru-mā-angiangi.

Ka haere, ka tae ki te kāinga i tōna pāpā. Ka haere, ka tāpukea te waka ki rō kirikiri. Ka puta mai ngā tamariki o rō pā, ka mea mai, 'Tōku pononga!'

Ka ārahina ki te pā, ka taunahanahatia e ngā tamariki, e ngā pakeke. Ka riro i te tamaiti paku noa nei; na tōna pāpā tonu taua tamaiti, ka karanga atu ki tōna matua, 'E koro, inā tōku pononga!'

Ka rekareka mai tōna pāpā, ka mea mai, 'Kawea ki rō puraku noho ai.'

Ka awatea, ka haere ngā tamariki ki te hopuhopu manu, ki te whakatetere, whaka ki te tini noa iho o ngā mahi a te tamariki, e kore e taea te tatau i te tini. Ka haere ia ki rō ngāherehere, ka mauria mai e ia ngā manu i whakahiakaitia ai ia i roto i te puku o tōna kōkā.

Ka kōrero ia ki te hūia, 'Inā, e koe, he karanga māhau: "Tē kā te ahi nei; pōuri, pōuri, pōuri ana." Nāu, e te kōtuku, tēnei karanga: "Tē kā te ahi nei; e ahoaho ana."'

E ako ana ia ki ngā manu ra, i rō puraku.

Ka pō, ka haere te tamaiti ra ki te whare ra ki te mātaki. Whanatu roa, e moe ana tērā, e ngongoro ana tērā, te tāngata o roto o taua whare. Ka mauria ki ngā manu ra, ka haere, ka tae kei te roro. Ka panekea e ia te tatau o te whare, ka tomo ki roto. Ka tukua e ia ngā manu ki raro, ka komotia e ia te kareao ki rō pungarehu.

Ka karanga te hūia, 'Tē kā te ahi nei; e pōuri, pōuri, pōuri ana.'

Ka hā te waha o te tangata, ka unuhia anō te kareao ra.

Ka karanga te kōtuku, 'Tē kā o te ahi nei; e ahoaho ana.'

Ka maranga katoa ki runga mātakitaki ai, tangi ai te umere. Ka maranga te pāpā o te tamaiti ra ki runga, ka titiro, ka mea, 'Nāku te tamaiti nei; ko ngā manu tēnei i whakahiakaitia ai tōna kōkā.'

Ka tangi te tangata ra ki tōna tamaiti. Ka ao te rā, ka kawea ki te wai tohi ai.

Ka mutu tēnei.

Tautini-awhitia

This is a story about a wife and a husband. The woman lived there, she lived with her husband, and after a while she wanted some birds to eat. She told her husband, 'I have a craving for birds.'

This must have been because there was a child within her.

So her husband went off bird-spearing. *Kāore!* There were two birds he caught, a huia and a white heron. The woman didn't eat these birds. She kept them as pets.

Now the woman was pregnant, but the husband went off to his own home. She stayed there like this, and when her time came she gave birth to her child, a boy. She fed her son and looked after him, and when he grew to be a big boy he played at sailing boats, spinning tops, flying kites and catching little birds. Then the boys who had fathers talked about him, saying, 'It's the darts that fatherless boy is throwing that fly the best.'

He was very much ashamed to be without a father, and he went crying to his mother. 'Mother, mother, where's my father?'

'Your father isn't here, he's a long way off, far, far away. You must look towards the sunrise. That's where your father is.'

Then the boy went into the forest, and brought back with him a seed-pod of the rewarewa tree. He went to a stream and tried it out there, and he found it didn't overturn. Then he went home to his mother. 'Mother, I am going to my father's home.'

He told his mother, 'I won't stay here, I'm so ashamed.'

His mother said to him, 'Son, wait till I have cooked some food to sustain you on your journey.'

He said to her, 'I will not eat. A spear can be parried, but the thrust of a spoken word cannot be parried.'

Then the boy set off. He went to his rewarewa-seedpod canoe, he pushed it into the water, he went on board and he paddled off. His mother wept, and so did he. He said farewell to her, and she to him. He went out over the ocean, and on the shore his mother chanted a karakia. This was her karakia:

Whose is the canoe, whose is the canoe?
It is mine, it belongs to Huru-mā-angiangi, to Tara-mā-angiangi.
The obstacles in the way are the voices in the water.
Let the canoe glide swiftly, let storms be stayed.
Sail fast, pass through earth, pass through sky,
Go swiftly to the land, swiftly to the shore, reach your journey's end.
Let calm seas be lifted up!

That is the end of her karakia.

The boy's name was Tautini-awhitia. As for his father, his name was Porou-anoano. His mother was Huru-mā-angiangi.

He kept on going, and he reached his father's home. He went on, and he buried his canoe in the gravel. Then the children from the pā came up, each of them saying, 'He's my slave!'

He was taken to the pā, and all the children and the adults laid claim to him. He became the property of a very little boy who was the son of his own father, and this boy called to his parent, 'Father, look at my slave!'

His father was very pleased. He said, 'Take him to live in the cookhouse.'

Next morning the children went off to catch birds, sail boats, and do all the other things that children do, too many of them to be counted. But the boy went into the forest and brought back with him the birds for which he had been made hungry when he was within his mother's womb.

Then he spoke to the huia. 'This is what you must call. "The fire is not burning, it is dark, dark, dark!"'

'And you, white heron, you must call, "The fire is not burning, light shines!"'

And so he taught these birds, there in the cookhouse.

When night came, he went to the house and looked around inside. After a while some of the people in the house were sleeping, and some were snoring. He took his birds, he set out, and he reached the porch. He slid open the door and he went inside. Then he put the birds down, putting the supplejack cage in amongst the ashes of the fire.

The huia called, 'The fire is not burning, it is dark, dark, dark!'

The people called out in amazement, and lifted up the cage.

Then the white heron called, 'The fire is not burning, light shines!'

They all sprang up and gazed at the birds, crying out in amazement and admiration. Then the boy's father stood up. He looked at the birds and he said, 'This boy is my son, because these are the birds for which his mother longed.'

He wept over his son. And when day came, he took him to the water to perform the tohi ceremony over him.

That is the end.

15 The adventures of Hine-poupou and Te Oripāroa

THERE ARE REALLY two stories here. The first is about Hine-poupou, whose husband abandons her on Kāpiti Island and goes to live on Rangitoto (now usually known as D'Urville Island, in the South Island). Hine-poupou follows him there, swimming right across the wide stretch of dangerous waters which is called Raukawa (or Cook Strait). This is a distance of some 80 kilometres.

Hine-poupou is possessed of special powers, and she swims in Raukawa for more than a month, the tides taking her in one direction, then another. (Some storytellers, in fact, used to say that people still sometimes saw her far out upon the ocean, her long hair washed by the waves.)

During her long swim, Hine-poupou discovers a valuable fishing rock which is frequented by both hāpuku and taniwha (in this fish story, the hāpuku are big enough to be more than a match for the taniwha). At Rangitoto she finds her parents and also her husband, Te Oripāroa. There is a reconciliation with Te Oripāroa; but then he illtreats her once more, and Hine-poupou takes her revenge.

She does this by leading an expedition to the fishing rock she has discovered and there making an offering to the taniwha, causing them to raise a storm. Her own people's canoes are not damaged, but most of the husband's canoes are destroyed.

At this point the storyteller leaves Hine-poupou and her relatives and follows the fortunes of Te Oripāroa and his younger brother, Mānini-pounamu. They do not die in the storm. Instead, their canoe is blown far across the ocean until at last they are cast up on the shore of Hawaiki — that far distant land which is so tapu, so sacred, that the people there are unacquainted with fire and eat their food raw.

The two foods specially associated with Hawaiki are whales and kūmara. Exploring Hawaiki, the two men discover an old woman who is sitting in a cave and eating a whale; when she discovers they are her relatives, she offers them some food. To cook the meat, Te Oripāroa and Manini-pounamu need to kindle fire with their fire-plough, so they ask the old woman to hold the lower fire-stick in the proper ritual way. At first she is terrified, but in the end she likes the cooked food.

She then tells them about an enormous, man-eating bird, the Pouakai, which has destroyed the people of Hawaiki. The two brothers, with their followers, plan to kill this great bird by luring it towards a strongly built house from which they can attack it in safety. They battle with the monster, and they overcome it.

This story is said to be a legend of the Rangitāne tribe. It was written down at Porirua in 1851, by Hōri Patara of Ngāti Toa, from the dictation of an old rangatira whose name is not known.

Ko Hine-poupou rāua ko Te Oripāroa

KA TĪMATA TĒNEI ki te kōrero o Hine-poupou rāua ko Te Oripāroa, he tūpuna no mua. Ko te kāinga i noho ai, ko Kāpiti.

Ka tui a Te Oripāroa i ana waka me tana iwi tonu hei hekenga ki Rangitoto. Ko te tāne a Hine-poupou ko Te Oripāroa; te take i whakarērea ai a Hine-poupou e Te Oripāroa, he umu kororā. Ka tae a Hine-poupou ki ana manu, ka huhuti. Ka kā te umu, ka tao; hura rawa ake te wahine ra i tana umu, mata tonu. Heoti ka tapia e ngā tāne, ka mate te wahine ra i te whakamā, ka oma ki tahaki. I muri anō ka tōtōia ngā waka o te tangata ra rātou ko ana tēina, me te iwi tonu, me te waka hoki o te matua o te wahine ra.

Ka rewa katoa ngā waka, ka mahue te wahine ra, ka whakarērea. Rere tonu ngā waka ra, ā, ū rawa atu i Ngā Rewai. Tau i reira, ka mutu, rere tonu; eke rawa atu i Rangitoto, ka tae ki te kāinga.

Hoki rawa iho te wahine ra ki ngā waka, kua riro. Ā, mate kau ana te wahine ra, ka noho a Hine-poupou i tana kāinga. Ka hemo i te kai, ka haere ki ngā pae o ngā umu ra hamuhamu ai. Ka kite i te mānga aruhe e takoto ana, ka noho, ka kai; ka mea, ka tuku ki te wai kia pipī mai ai te wai, ka ngau. Nāwai, pērā tonu.

Ā, ka pō toru, ka puta te whakaaro o te wahine ra, kātahi ka haere, ka tae ki Tarere-mango. Ka heke, ka tapotu ki tātahi. Taenga atu o te wahine ra, ka tae ki te toetoe, toetoe whatu-pākau nei, tākiritia mai. Karakia ana, ka mutu, kātahi ka tukuna tana reti. Te rerenga i rere ai; titiro tonu atu te wahine ra, kīhai i roa e haere ana, ka tahuri tana reti. Ka whakaaro ia, e kore e tika he ara mōna. Ko te hokinga anō ki tana kāinga.

Pō toru ake hoki, ka hoki anō, ka tae ki Tarere-mango. Tae atu, tākiritia mai te toetoe, karakia ana, ā, ka mutu. Kātahi ka tukuna tana reti. I runga anō i ngā ringa o te wahine ra, me te manu e rere ana tana reti. Titiro tonu atu, nāwai, nāwai, ā, ka ngaro. Kātahi ka mahara a Hine-poupou ka tika tana ara.

Taenga atu, pukeia iho ngā kahu, tae atu ki ngā maro, he aute: ko te mea mā i te aroaro, ko te mea whero i te tuarā. Kātahi ka haere, ka tae atu ki Ngā-kurī-a-Kupe. Karakia ana, ka mutu, tapotu ana ki te wai taupua ai. Ānō ra kei te ipu pararaki whakateretere a te tamariki — anā, te rewa o te wahine ra!

Ka kau te wahine nei i Raukawa, te pō, te ao, te pō, te ao. Ā, ka puta te tai pari, ka whiua ki runga o Kāpiti, ka puta te tai timu, ka whiua ki runga o Ōmere. Pērā tonu, nāwai, nāwai, ā, marama iho, kāore, ka pirau noa iho tētahi taha o te wahine ra, ka tupuria e te tiotio; ka huri ko tētahi taha.

He pō, he ao, he pō, he ao, ka ū ki Taka-kōtuku, he kōwhatu ki waho o Waihī, o Piri-kawau; ko te ritenga ia, ko te kōwhatu ia kei waenga anō o Raukawa nei. I eke a Hine-poupou ki reira taupua ai, ka noho. Ka tā te ma[na]wa, ka kau anō.

Ā, ka pō, ka ao, ka pō, ka ao, ā, ka tae ki Ngā-tai-whakahokihoki-a-Pane, kei waenga o Rangitoto, o Toka-pourewa. Ka puta te tai pari, ka whiua mai nei, ka heke te tai, ka whiua ki waho o Rangitoto. Ā, whakaea noa ake i Pare-rautū, he kōwhatu, ka taupua ia i reira. Ka tae te wahine ra ki tana maro, ka whiua ko te mea mā ki te waha hāpuku, ko te maro whero ki te waha taniwha. Taenga atu ki te rimu o te kōwhatu, motuhia ake, marohia iho.

Te nohoanga o te wahine ra, ka titiro, ka rere te hāpuku ki runga, ka whakatika ake te taniwha ki te ngau — arā, mate kau. Ka rere ko te tani-wha ki runga, ka hopu ake ai te hāpuku — arā, kua pau te hiku. Heoti, pērā tonu.

Ā, ka mutu, ka tapotu te wahine ra ki roto ki te wai, ka kau, ā, eke noa atu i Whaka-te-papa-nui. Kāore, ka pirautia tētahi taha ōna. Ka pāinaina ki te rā, ka mahana tētahi, ka huri; nāwai, ā, ka ora. Ka kau ki uta, ka eke ki Papānau, kei waho mai o Ōtarawao. Ko te pā tērā o te tāne a te wahine ra, o tana matua, i whakarere nei i a ia.

Haere tonu te wahine ra, ka rongo atu ki te reo o te matua, o te whaea e tangi ana ki a ia. Haere tonu atu ia, ka tae ki te matapihi o te whare. Noho ana, ka toro. Ka toro te ringa matau, ka pā ki te kanohi o te matua. Ka ara ake, ka mea, 'Ko wai tēnei?'

Ka mea mai te wahine, 'Aua.'

Ka moe anō. Roa rawa, ka toro anō te ringa o te wahine ra. Ka kitea e te matua, ka tīkina mai, ka tirohia, ka auē te matua ki te tangi.

Ka mea mai a Hine-poupou, 'Kaua au e whakaaturia.'

Kāore, ka hāpai mai ngā toko o te ata, kātahi ka haere ki runga ki te parapara, karakia ana. Na te mea anō ka mārama noa, ka mutu, ka hoki mai. Ka puta ngā mātua ki waho tangi ai, ka pā te karanga, 'Ko Hine-poupou, ko Hine-poupou!'

Pā atu anō te karanga i tēnei pito, ā, tae noa ki te kāinga o tana tāne. Ka rongo a Te Oripāroa, ka kī mai, 'Ē, ehara i a Hine-poupou tangata, ko Hine-poupou atua!'

Na te mea anō ka kitea nuitia, kātahi ka mea, 'Nāwhea mai ra te ara?'

Ka papahu kau te tangata ra, ka whakamā mo tana whakarērenga atu. Ka noho te wahine ra; kotahi marama, kāore, ka wareware. Kātahi ka kī atu a Hine-poupou ki ana tungāne, 'Tuia he waka mo koutou.'

Tuia ana, ka oti ngā waka o ngā tungāne, me ngā waka hoki o tana tāne, me te iwi tonu o te tangata ra. Kāore, ka āio noa te moana, ka rewa, ka rewa: ka rewa ngā waka o Te Oripāroa me tana iwi tonu, he mano. Te pekenga atu o te wahine ra, noho ana i te waka o ana tungāne, hoe tonu.

Ā, nāwai, nāwai, ka ngaro a uta, ko runga anake o ngā maunga te kitea ana. Ka kī mai ngā tungāne, 'Kei whea tēnā tūranga?'

Ka kī atu a Hine-poupou, 'Hoehoe!'

Na te mea anō ka tata, ka ea te kōwhatu ra ki runga. Ka tau ngā waka o te wahine ra, ka mātakitaki ki te kōwhatu ra, ka whanga hoki i ngā waka o te tāne, me te tau.

Ka rere te hāpuku ki runga, ka hopu ake te taniwha, kore kau; ka rere te taniwha, ka hopu ake ai te hāpuku — arā, kua pau. Kātahi ka rumakina e te wahine ra, ka totohu ki raro. Ka pā atu te waha o Hine-poupou ki te nuinga, ki tana iwi, 'Noho puku! Kei a au anake he tikanga mo tātou.'

Te hoenga, ka tae ki te tūranga. Tae atu te wahine ra ki te punga o tō rātou waka ko ngā tungāne, tukuna iho, ka tau. Ka pā atu te waha o te wahine ra, 'Whiua!'

Kīhai i rere ngā aho, puta ake e rua, puta ake e rua; kīhai i taro, kua totohu ngā waka o te wahine ra. Ka tae mai hoki ngā waka o Te Oripāroa rāua ko te teina, me tō rāua iwi tonu, ka karanga atu a Hine-poupou, 'Ki tua ō koutou waka, ki te waha taniwha ra.'

Ka rere ngā punga o ngā waka, me te whanga tonu te wahine ra. Na te mea ka rūmene noa, kātahi ka karanga atu a Hine-poupou ki te tungāne, 'Hōmai ki a au tō aho.'

Ka hōmai. Tae atu te wahine ra ki tana ihu, motokia ake. Tae atu ki te para māunu, pokepokea iho ki ngā toto. Inamata, kua rere i runga anō — puta ake e rua, puta ake e rua. Tae atu ki te para māunu, āpitia ki te kōwhatu, āpitia ki ngā toto o tana ihu, poia ake ki te rangi, makaa atu ki te wai.

Hohoro te huti i ngā punga, kua eke. Takawhita rawa ake ngā waka o te tangata ra, e haere mai ana te hau. Na, nāwai, nāwai, ka tahuri he waka, ka tahuri he waka. Nāwai, ā, ka mimiti noa iho te mano ra. Haere ana ngā waka o te wahine ra, kua ū ki uta. Ka mate te iwi o Te Oripāroa rāua ko te teina, ka ea te mate o te wahine ra, o Hine-poupou.

Ka ora a Te Oripāroa rāua ko te teina, ko Manini-pounamu. Ka whiua te waka o ngā tāngata ra e te hau, ka tukuna ki waho ki te moana nui haere ai. Ā, ka pō, ka ao, ka pō, ka ao, nāwai, ā, ka mārama, ka matemate katoa ō rāua hoa; ko Te Oripāroa anake rāua ko te teina ngā mea e ora ana. Ka rere, ā, ka pō, ā, ka rongo ake ki te tōrea e tangi ana, ka mea ake ngā hoa, 'Ko uta pea tēnei.'

Ka kukū te waka i runga i te rimu, ka whakaaro, 'Ko uta.'

Ka pou iho ai i te toko. Haere tonu, ka rere, ka rongo ake anō ki te tōrea e tangi ana ki te karoro, ka mea ake ngā hoa, 'Ko uta pea tēnei.'

Na te mea anō ka kukū noa ki uta. Te pekenga atu o Te Oripāroa, kōraria ake te tauare, rere tonu. Ka tae ki uta, werohia atu te kauati ki te whenua, haere tonu atu te whakarui i te kaunati, kua tū. Āpuria [āpurua] mai ngā wahie ki runga, kua kā. Ope tonu i te kuku ki runga ki te ahi, kua maoa. Tae atu ki ngā tūpāpaku, tōia mai ki te taha o te ahi; tae atu ki te kuku, whakaheke ana ki roto ki ngā waha. Kua ora tēnei, kua ora tēnei; pērā tonu, ā, ka ora katoa.

Tae atu te tangata ra, hanga ana i te here, ka oti. Haere tonu, kua kite i te tūī kua mate, kua mate; ka pae ngā manu a te tangata ra. Hoki ana mai, tunu tonu, ka maoa; whāngai ana, na te mea anō ka ora katoa.

Tōia ake te waka ki uta, tae atu a Te Oripāroa rāua ko te teina, he taiaha tā tē[ta]hi, he tokotoko tā tētahi. Haere tonu, ka mahue he rae, ka mahue he rae, ka tae ki te waha o te ana. Titiro rawa atu ngā tāngata nei, ko te ruahine nei e noho mai ana i roto i te ana, e kai ana i te wēra.

Te kitenga mai i a rāua, ka karanga mai, 'No whea kōrua — no te muri, no te māuru?'

Tātau tonu. Ā, no te kīanga mai, 'Nōku kōrua?' — ka kī atu rāua, 'Āe.'

Tae atu te ruahine ra ki ngā wēra, hōmai ana ma rāua. Tae atu a Te Oripāroa ki te kauati, hoatu ana kia takahia e te ruahine ra, hikaia e Te Oripāroa. Kīhai anō i whakawiri te pawa, kua rere te wahine ra ki raro, kua karanga, 'Ka wera, ka wera Hawaiki!'

Kua hinga ki raro ruaki ai.

Tae atu te tangata ra ki te here. Haere tonu, kua kite i te tūī kua mate, kua mate. Hoki tonu mai, tunu tonu, ka maoa; tae atu ki te hinu, poua ana ki te waha, kua ora. Hoatu ana kia kai i ana manu, ka whakamātau, ka mea, ka whakaaro, kātahi ka kī mai ki a rāua, 'Ē, tēnei anō te rekanga o te kai!'

Kātahi rāua ka kī atu, 'E pēwheatia ana he kai ma kōrua nei?'

Ka kī mai, 'E otaia ana.'

Kāore rāua nei e mōhio ki te tunu.

Ka kī atu a Te Oripāroa, 'Kei whea tō nuinga?'

Ka kī mai, 'Kua pau.'

Ka kī atu anō ia, 'I te aha?'

Ka kī mai, 'Ē, i te aha hoki? Hua atu, i Pouakai.'

Ka kī atu anō rāua, 'He pēwhea tēnā hanga?'

Ka kī mai, 'He manu, he nui, he nui noa atu. Kotahi kumi te roa o tētahi parirau, kotahi kumi te roa o tētahi. Nāna māua nei i huna; ā, ko au anake te rērenga.'

Ka kī atu anō rāua, 'Kei whea e noho ana?'

Ka kī mai, 'Kei ngā pae tuangahuru o Hawaiki.'

Ka hoki rāua ki te tiki i ō rāua hoa. Ka tae mai, ka kōrero rātou. Ā, ka mutu, ka kī atu a Te Oripāroa, 'Me pēwhea ra?'

Ka kī mai, 'Aua.'

Ka kī atu anō a Te Oripāroa, 'E pēwhea ana te haerenga mai?'

Ka kī mai, 'Ka kite i te tangata, ka tukua mai ko tētahi parirau hei hao i te tangata.'

Kātahi ka kī atu a Te Oripāroa, 'Kei a au he tikanga. Me hanga ki te whare, koia anō: ka hanga i te whare, ko runga anake o ngā rākau e tapahia, erangi ngā mea mo waenganui, he mea poupou; ko ngā taha, he rākau tupu tonu no te whenua.'

E hanga ana, ā, ka oti a raro, ka oti a runga o te whare te hanga, ka hoatu he pou mo roto, hei pou mo waenganui hei rorenga ma ngā parirau. Ko te roa o te whare kotahi kumi ma ono, ko te rahi e iwa takoto. Heoi anō, ka oti tō rātou whare te hanga.

Kātahi ka kī atu te ruahine ra, 'Tēnā koa, omaoma kia kite au i tō koutou hohoro.'

Koia anō. Tae atu ngā tāngata ra, ka makere ngā mai, ka oma tō mua. Ā, ka hoki mai, ka kī atu, 'E kui, e pēwhea ana au?'

Ka kī atu te ruahine ra, 'Kāore koe e hohoro.'

Ka mutu ko tēnā, ka haere he tangata. Nāwai, ā, ka rūpeke noa rātou. Kātahi ka kī atu ki a Te Oripāroa, 'Tēnā, haere hoki koe.'

Te haerenga i haere ai; ā, ka hoki mai. Ka kī atu, 'E kui, e pēwhea ana au?'

Ka kī atu anō, 'Kāore.'

Ka pōuri noa iho te ruahine ra. Kātahi ka kī atu ki te teina o Te Oripāroa, ki a Manini-pounamu, 'Tēnā, haere hoki koe.'

Koia anō. Kua makere ngā kahu, tae atu ki te taiaha; na, pākia ngā ringa, ānō ra kei te manu na anō ngā wae o te tangata ra, inamata kua hoki mai.

Ka kī atu te ruahine ra, 'Erangi koe! Tēnā, e hoki anō.'

Ka oma anō. Tae atu a Te Oripāroa ki te kauati, e hika ana. Kāore, ka whā rae e haere ana te tangata ra, ka hoki mai. Rokohanga mai, kāore anō i tū te ahi.

Kātahi ka kī atu te ruahine ra, 'Haere mai, haere, ko tō haere anō tē- nā. Ā, kia tae koe ki te whā o ngā pae, ka noho ki te whakatā i tō manawa. E kite iho koe e hao ana i te ika, koia tēnā. Me whakapaiahāhā e koe.'

Koi[a anō]. Ha[e]re tonu; ka piki, ka heke, ka piki, ka heke, ā, ka tae. Titiro rawa iho te tangata ra, e hao ana i te ika. Ka toro tētehi parirau ki te wai hao mai ai, ka rere te ika i runga i te parirau, ka rere iho te waha ki te kai; ka toro ko tētahi, he pērā tonu.

Whakapaiahāhātia ana e ia, kīhai i rongo ake ki tana waha. Ē, tēnā rawa te piki ake na, haere rawa ake tētahi parirau ki te hao mai i a ia! Tana whakatikanga, ka piki ia, piki tahi, ka heke, heke tahi. Nāwai, ā, ka tae ia ki te pae e tae ai ki te whare. Ka pā tana karanga, 'Tāihāhā!'

Kua rongo ake ngā hoa. Haere tonu [a] Manini-pounamu; ka tomo ki roto ki te whare, rere tonu, tū rawa ake i tētahi taha o te whatitoka. Tū ana, kua tae mai. Toro tonu ngā parirau, whakapē noa i te whare; ā, kāore hoki i hinga. Kātahi ka tukua mai ko tētehi parirau ki roto ki te whare; tae rawa ki roto, makaa iho ai te patu, kua motu. Ka toro anō ko tētehi, makaa iho ai te patu, na, kua motu; ka rere ko te mutumutu kau. Tae anō ki tahaki ra rūrū mai ai; ka mutu, ka hoki mai anō, ka toro mai ko te upoko. Pangaa iho ai te patu, na, kua mate-ā-patu iho, ā, ka mate.

Pokaina iho te puku, ka kitea te iwi tūpāpaku, te pounamu. Heoti, ka mate te Pouakai.

Hine-poupou and Te Oripāroa

HERE BEGINS THE story of Hine-poupou and Te Oripāroa, ancestors who lived in former times. Their home was on Kāpiti.

Te Oripāroa and all his people lashed their canoes, making ready to migrate to Rangitoto. Te Oripāroa was Hine-poupou's husband, and it was because of a meal of blue penguins that he abandoned her. Hine-poupou took her birds and she plucked them, the oven was lit, she put them in — but when the woman uncovered the oven, they were still raw. Well then, the men complained and scolded her, and she was greatly shamed and she ran away.

After this, the canoes owned by Te Oripāroa, his younger brothers and all his people were hauled down to the water, together with the canoe belonging to the woman's father. Then all the canoes put out to sea, leaving the woman abandoned there. The canoes sailed on, far into the distance, and they landed at Ngā Rewai. They stayed there a while, then they sailed on again. Finally they landed at Rangitoto and reached the village there.

When the woman went back down to the canoes, she found them gone. She was greatly distressed, but could do nothing. So Hine-poupou went on living at her home. She got very hungry, and she went to the ovens to search for scraps of food left at the sides. She found some fern-root and she sat down to eat it, then thinking of a better way, she soaked it in water before she chewed it. For some time she lived there like this.

After three nights a thought came to her. She set off, and she reached Tarere-mango. She went down, right down to the shore, and there she found some toetoe grass, the kind used for plaiting kites, and she pulled out a flower-stalk. She recited a karakia, and when this was done she threw her dart. Away it flew! She gazed after it, and before long her dart turned in its flight and fell. Then she decided that the way was not clear, and she went back to her home.

Three nights later she returned, and she reached Tarere-mango. When she got there she pulled out a flower-stalk. She recited a karakia, and when this was done she threw her dart. It flew up from her hands like a bird; she gazed after her dart as it flew on and on, and was finally lost to sight. So then she surmised that the way must be clear.

She took off her clothes and she left them in a heap there, keeping on only her loincloth of paper mulberry; this was white in front and red behind. So then she went out, and she reached Ngā-kurī-a-Kupe. She recited a karakia, then after this she entered the water to float about like a shallow dish sent sailing along by children — oh, how she floated!

The woman swam in Raukawa for nights and days, nights and days; a full tide threw her back on Kāpiti, then an ebb tide threw her upon the shore at Ōmere. For a long time this continued, and when a month had passed, *kāore!* — one of the woman's sides was quite rotten, and overgrown with barnacles. Then she turned on to her other side.

The nights and days passed, the nights and days, and she came to Taka-kōtuku, out from Waihī and Piri-kawau; this rock is right in the middle of Raukawa. Hine-poupou climbed on to it to get back her breath, and she rested there. Then when she had recovered she swam on again, for many nights and days, until she came to Ngā-tai-whakahokihoki-a-Pane, between Rangitoto and Toka-pourewa.

A full tide brought her back in this direction, then an ebb tide took her to the sea out from Rangitoto. She came out of the water at a rock called Pare-rautū, and she rested to get back her breath. Taking her loin-cloth, she threw the white part into the place where the hāpuku lived, and the red part into the place where the taniwha lived. Then she broke off some seaweed from the rock and made herself a loincloth with it.

While she was there, she saw a hāpuku jump up; a taniwha rose up to bite it, but missed. Then a taniwha jumped up, and a hāpuku rose up and seized it — *arā*, it had eaten the tail! Now it happened like that every time.

Afterwards the woman entered the water and swam on. At last she came to Whaka-te-papa-nui, and she climbed on to it. *Kāore!* One of her sides had become rotten. She lay there in the sun, and when one side was warm she turned on to her other side. After a while she recovered. Then she swam ashore, landing at Papānau, near Ōtarawao. This was the pā of her husband and her father, who had abandoned her.

The woman went forward, and she heard the voices of her father and her mother who were weeping for her. She kept going forward, and she came to the window of the house. She sat there, then she stretched out her hand — she stretched out her right hand, and she touched her father's face. He woke up, and he asked, 'Who is it?'

His wife said, 'I don't know.'

They went to sleep again, and after a while Hine-poupou again stretched out her hand. Her father discovered her presence and he went to her. When he saw her, the father lamented and wept.

Hine-poupou said, 'Don't tell them I am here.'

Kāore! When the rays of dawn lifted up, they went to the sacred place and he performed karakia. When it was fully light the ceremony was ended, and they returned. Then the elders came out to weep over her. The cry went up, 'It's Hine-poupou, Hine-poupou!'

Their call went out from that end of the pā, and all the way to her husband's home. Te Oripāroa heard it, and he said, 'Hine-poupou can't be human, she's a spirit!'

Then when he saw her face to face, he asked, 'But how did you come?'

The man pretended to be ashamed of having deserted her, and she lived with him once more. But when a month had passed, *kāore*, he again treated her badly.

So then Hine-poupou told her brothers, 'Lash your canoes.'

They lashed them, and soon her brothers' canoes were ready, and those of her husband and all his people. *Kāore!* When the sea was quite calm, all the canoes put out to sea — all the canoes of Te Oripāroa and his people, a multitude! Hine-poupou sprang forward and took her place in her brothers' canoe, and they paddled out to sea.

They went on and on, and presently the shore was lost to sight. They could see only the tops of the mountains. Her brothers asked, 'Where's this place of yours?'

Hine-poupou said, 'Keep on paddling!'

When they came close, they saw the rock rising up from the water. The woman's canoes lay there, and they gazed at the rock as they waited, lying there, for her husband's canoes.

Then a hāpuku jumped up, and a taniwha rose up to catch it, but missed. A taniwha jumped up, and a hāpuku rose up to seize it — *arā*, it was caught and eaten! Then the woman made them disappear into the water, and they sank down. And Hine-poupou's voice went out to all her people. 'Don't say anything! I'm the only one who knows what to do.'

They paddled on, and reached the anchorage. Then the woman took the anchor in the canoe belonging to her and her brothers, she let it down, and the canoe lay there. And her voice went out. 'Throw out the lines!'

Before the lines had gone down, two fish rose to the bait on each. It wasn't long at all before the woman's canoes were laden with fish. Then the canoes belonging to Te Oripāroa, his younger brother and all their people arrived, and Hine-poupou called, 'Take your canoes to the other side, with the taniwha.'

The anchors in their canoes went down, while the woman waited. Then when they were all together, Hine-poupou called to one of her brothers, 'Give me your line.'

He gave it to her. The woman struck her nose, then took the bait and mixed it with her blood. At once the fish rose to the lines, two at a time.

Taking the bait, she touched first the rock, then the blood from her nose. She waved it towards the sky, then threw it into the water.

Then they quickly pulled up the anchors and took them on board. A wind came, and that man's canoes were scattered and tossed about in confusion. Still it blew, and the canoes were overturned; still it blew, and all that multitude were swallowed up. The woman's canoes returned to land, but Te Oripāroa's people and his younger brothers' people were destroyed, and Hine-poupou gained her revenge.

But Te Oripāroa and his younger brother Manini-pounamu did not die. The wind blew their canoe before it, sending it far across the wide ocean. Many nights and days passed, and at last a month had gone by, and all their companions were ill; Te Oripāroa and his brother were the only ones who were not ill. The canoe sped on; time passed, then the two men heard the oystercatcher crying. They said, 'Perhaps it is land.'

The canoe scraped over some seaweed, and they thought, 'It is land!'

They poled the canoe forward, they quickly made their way onwards, and they heard the oystercatcher again, crying to the black-backed gull. The companions said, 'Yes, it's certainly land.'

Then their canoe touched bottom. Te Ori-pāroa leapt out, seized a thwart, and pulled the canoe forward. On reaching the shore they fastened a lower firestick in the ground, then they rubbed the upper firestick backwards and forwards, and fire was kindled. They put some firewood on it, and the wood caught alight. They collected mussels and put them on the fire, and soon they were cooked. Going back to the sick men, they dragged them to the side of the fire, then took the mussels and put them into their mouths. One by one the men revived, and after a while they had all recovered.

Te Oripāroa went and laid snares, and when he returned he found great numbers of tūī killed there; the man's birds lay heaped up there. He came back, he roasted them on the fire, and when they were cooked he fed them to his companions. Then they all completely recovered.

They pulled the canoe up on the shore, then Te Oripāroa and his younger brother set off together; one held a taiaha, and the other a tokotoko. They kept on going, leaving headland after headland behind them, until they came to the mouth of a cave. Inside they saw an old woman sitting eating a whale.

When she saw them she called, 'Where are you from, the east or the west?'

She was turning about in all directions. When she asked, 'Are you related to me?' — they told her, 'Yes.'

Then the old woman took the whale and gave them some. Te Oripāroa took his firestick, gave it to her to hold with her foot, then rubbed the sticks. But before even the smoke twisted up, she collapsed crying, 'It's burning, Hawaiki is burning!'

She fell down and began to vomit.

Then Te Oripāroa went to his snares; he made his way there, and he found many tūī killed in them. He came back and roasted the birds, then when they were done he took the fat and poured it into her mouth. She revived at this, and they gave her the birds to eat. When she had tried them she thought to herself, and she said, 'Oh, how good this food tastes!'

So then they asked her, 'How do you and your people eat your food?'

She told them, 'We eat it raw.'

The people there didn't know how to cook food.

Te Oripāroa asked, 'Where are your people?'

She said, 'They have all been eaten.'

He asked, 'By what?'

She said, 'By what indeed? One would think, by Pouakai.'

They asked, 'What is that?'

She said, 'It's a bird, a great bird, a huge one; each of its wings is ten spans long. It's this that has destroyed us. I am the only one left.'

They asked another question. 'Where does it live?'

She said, 'In the tenth row of hills in Hawaiki.'

They went back to fetch their companions, and when they arrived they discussed the matter. Then Te Oripāroa asked the old woman, 'How can it be overcome?'

She said, 'I don't know.'

He asked another question. 'What does it do as it approaches you?'

She said, 'When it sees someone, it stretches out a wing to scoop him up.'

So then Te Oripāroa said, 'I know what we must do. We must build a house, in this way. Only the tops of the trees will be cut off. In the centre there will be posts, but the sides will be made from trees still growing in the ground.'

They built the house, and when the bottom part and the top were finished, they put posts inside to entangle the wings. The house was sixteen spans long and nine lengths wide. At last they had finished building it.

So then the old woman said, 'Come on now, you must all run so I can see how quick you are.'

And that's what happened. The men came up and threw off their garments, and the first of them ran. When he came back he asked, 'Old woman, how did I do?'

The old woman told him, 'You're not quick enough.'

Another man ran, then another, until at last they had all run. So then she told Te Oripāroa, 'Come on, you must run too.'

So off he ran, and when he came back he asked, 'Old woman, how did I do?'

Again she said, 'No, you won't do.'

She was very downcast at this. Then she told Te Oripāroa's younger brother Manini-pounamu, 'Come on, you must run too.'

And that's what happened. He let fall his garments and took up his taiaha, and in a hand's-clap he was off. His feet flew like birds, and in a moment he was back.

The old woman said, 'You are the one! Come on, run once more.'

Again he ran, and Te Oripāroa took up his firestick and began to make fire. *Kāore!* He ran past four headlands before returning, and he was back before the fire had kindled.

So then the old woman said, 'Come, you must go now. This is how you must go. When you come to the fourth ridge of hills, sit down to get back your breath. Below, you will see a creature scooping up the fish. That is it. You must shout to lure it here.'

And that's what happened. He set off, climbing the hills and going down them again, until at last he reached the place. He looked down, and he saw the creature scooping up the fish. First it thrust one wing into the water; the fish swam over the wing, and its head went down to eat them. Then it stretched out the other wing and did the same thing again.

He shouted, but at first it did not hear him. Then all at once it came rushing up towards him, stretching out a wing to scoop him up. He leapt to his feet and was off, running up the hills and down again with the creature close behind; on they ran together, till at last he came to the ridge leading to the house. Then he gave a shout, '*Tāihāhā!*'

His companions heard his voice. He ran on, straight into the house, then leapt to one side of the doorway. No sooner was he there than the bird reached them. It stretched out its wings and battered the house, trying to push it over, but the house didn't fall. So then it thrust a wing into the house, but they brought down their weapons at once, and they cut it off. It thrust in the other wing, but again they brought down their weapons and cut it off — only the stump was left waving about. It went a short distance away, shaking and brandishing its stumps, then it came back and pushed in its head. So they swung their weapons, and it fell to them — there it lay dead!

They cut open the stomach, and they found the bones of dead people, and greenstone. So died the Pouakai.

16 *The woman in the moon*

IN MANY PARTS of Polynesia it was thought that a woman named Hina could be seen in the moon, seated under a tree and making cloth by beating paper-mulberry bark with her mallet. But in their colder climate the Māori made little use of the paper mulberry, so their story changed.

There is still a woman and a tree, but she is holding a calabash rather than a mallet, and her name is Rona – or sometimes, Rona-whakamau-tai, Rona-who-controls-the-tides. She was taken up there because she cursed the moon, and a proverb warns, 'Remember Rona's mistake (Kia mahara ki te hē o Rona).'

Ko Rona

KO TE KŌRERO tara tēnei mo Rona. I tētahi pō atarau ka haere a Rona ki te utu wai; e mau ana i te ringa te kete, he taha i roto. I te haerenga atu ki te wai, ka taka te marama ki tua ki te kapua. Rokohanga iho he ara kino, ā, tūtuki noa te wae ki ngā rākau.

No konei ka riri ia, ā, anga ana, ka kanga ki te marama. Ka mea ake, 'Pokōhua marama, tē puta mai koe kia mārama!'

Ka riri i konei te marama ki te mahi a Rona, ka rere iho ia ki raro, ka mau ki a Rona. Ka pupuri a Rona ki te rākau e tupu ana i te taha o te awa, otiia, hutia ana te rākau; haere katoa ngā pakiaka, kāhaki tonu atu i a Rona, te rākau, me tana tahā wai.

Ka tāria nei te hokinga o Rona ki te kāinga, ka haere ki te whakatau. Rapu nei, rapu nei, ka pā te karanga, 'E Rona, e Rona, kei hea koe?'

Ka karanga iho tērā, 'Ē, tēnei au te kake nei i roto i te marama, te whetū!'

Rona

THIS IS THE tale of Rona. One moonlit night Rona went to draw water, carrying in her hand a basket with a calabash inside it. As she was on her way to the water, the moon passed behind a cloud. It was a difficult path, and soon she was stumbling among the bushes.

She was angry at this and she began cursing the moon, shouting up at it, 'Cooked head of a moon, not to show yourself and give light!'

Rona's words angered the moon, and it came down and seized her. She took hold of a tree growing beside the stream, but the tree was pulled from the ground, roots and all. She was carried away, along with the tree and her calabash.

In the village they waited for Rona to return, then went looking for her. They searched and searched, calling, 'Rona, Rona, where are you?'

She called down to them, 'Here I am, mounting up among the moon and the stars!'

17 *Houmea the evil mother*

H OUMEA IS ONE of those dangerous women who in mythology represent the worst fears (often, unconscious) that men have had about women. She secretly swallows all the fish that her husband catches, she swallows her two sons, then she attempts to devour the husband himself. But like most monsters she is stupid, and she is outwitted by her husband and her sons.

The story is ancient, and told in differing versions in many parts of Polynesia. In Aotearoa, where shags (or cormorants) are common, it was said that Houmea was really a shag — a bird famous for its ability to swallow large fish. A woman could be abused by being spoken of as Houmea, and certain ritual chants, recited with evil intent, speak of Houmea's ability to destroy the fertility of an enemy's crops or drive away the fish in the ocean.

As well, Houmea, being a source of wickedness, was regarded as the mother of Tū-tawake, the mythic warrior who was the first man to engage in battle — so that she could, when appropriate, be blamed for the existence of warfare. Another version of the story has Tū-tawake grasping his taiaha (the weapon of a rangatira) the moment he is born. In this version, instead, he and his brother Nini hold weapons when they are rescued after having been swallowed by their mother.

The father, Uta, rescues the boys by reciting a ritual chant — so references to this story gave efficacy to the karakia which in reality were recited over a person who was choking on a fishbone.

Mohi Ruatapu, of Ngāti Porou, wrote down this story in 1876.

Ko Houmea rāua ko Uta

TĒNEI TE KŌRERO o tētahi wahine tāhae, ko Houmea te ingoa o taua wahine, he autaia. Ko Uta te tāne a Houmea.

Ka haere te tāne ki te moana ki te hī ika ma rātou ko te wahine ko ngā tamariki; ko te ingoa o ngā tamariki ko Tū-tawake tētahi, ko Nini tētahi. Ka haere tērā ki te moana, ka mate te kai nei a te ika, ka hoe ki uta. Ka whanga ki te wahine kia haere mai ki te tiki mai i ngā ika, kāore i haere mai. Ka haere tērā ki te kāinga, ka kī atu ki te wahine, 'E kui, e kui! Whanga noa mai nei au ki a koe, tē hohoro ake.'

Ka mea tērā, a Houmea, 'E koro, e ia! He taringa no ngā tamariki nei.'

Ka haere tērā, a Houmea, ki te tāhuna ki te tiki i ngā ika. Ka tae kei te waka, ka horomia e ia ngā ika ki roto ki tōna puku; ka pau i a ia te horo. Ka haere ia ki te muru upoko-tangata, pūwhā, hei torotoro māhana i te one. Ka whakaāhuatia e ia ōna tapuae, ko te tapuae iti, ko te tapuae rahi — ko te toro pūwhā, ko te toro upoko-tangata. Ka takatakahia e ia te one kia kinokino, kia maharatia ai na te taua i tiki mai, i tāhae ngā ika.

Ka haere ia ki te kāinga, ka mapu, ka mea atu ki te tāne, 'E koe, kāore na hoki te tōhinga ika — i te tangata rānei, i te taua rānei, i te tāhae rānei?'

Ka mea te tāne, 'Ko wai ra tēnā iwi tāhae o te ao?'

Ka mea tērā, a Houmea, 'Ko ngā mano tini o te ponaturi.'

'Āe, pea.'

Ka moe anō rātou. I te ata ka haere anō ia ki te moana, ka mate anō te ika. Ka hoe anō ki uta, ka whanga anō ki te wahine. Tatari noa kia hohoro mai tērā, a Houmea, ki te tiki mai i ngā ika, kāore i hohoro mai.

Ka haere ia ki te kāinga, ka mea atu, 'E kui, e kui! Me noho tonu au i te tāhuna, whanga noa mai nei ki a koe, ā, tē tae wawe ake, tē aha.'

Ka whakatika a Houmea, ka haere, ka tae kei te waka, ka horomia e ia ngā ika. Ka unga atu e ia ngā tamariki ki te mātaki atu; whanatu rawa, e horo ana ia i ngā ika. Ka hoki mai ngā tamariki ra, ka kōrero ki tō rāua pāpā, ka mea, 'E koro, e koro! Ko Houmea tonu e horo nei i ngā ika o tō waka.'

Ka puta tērā ki te kāinga, ka mapu, ka kōrero mai ki te tāne: 'Kāore na hoki te tōhinga ika, ka pau i te tangata.'

Ka mea atu te tāne, 'E hine, ko wai te tangata? I konā rawa ngā tamariki nei, titiro rawa atu ko koe tonu e horo ana i ngā ika o taku waka.'

Ka mate tērā i te whakamā, ka mahi tērā i tōna mahi a te huri, a te whākorekore kia ngaro ai tōna tāhae horo ika. Ka kī anō ia kāore e kitea e ia te pūremu a te tāhae i ngā kai a ētahi tāngata. Ka mea ia i roto i tōna ngākau ki āna tamariki, 'E tika, e tika, ka hei tā kōrua!'

I te ata anō ka haere ia ki te moana; ka tau tōna waka, ka mea a Houmea ki tētahi o āna tamariki, 'E hika, haere ki te wai mo tātou, ka mate tātou i te wai.'

Ka haere te tamaiti ra, ka karanga atu ki tētahi o āna tamariki, 'E hika, haere mai kia hāpakina ake ō kutu.'

Ka haere atu te tamaiti ra, ka tae ki a ia, ka hāpakina e ia, ka horomia e ia ki roto ki tōna puku. Ka haere mai anō tētahi i te wai, ka horomia anō e ia; tokorua anō mate katoa i a ia te horo ki roto ki tōna puku noho ai.

Ka ū mai te waka o te tāne, haere rawa mai, e auē ana, e mui ana te rango i ngā ngutu. Ka mea te tāne, 'E kui, he mate koe!'

Ka mea atu ia, 'Āe, āe!'

'Kei hea te atua e kai na i a koe?'

'Kei taku puku, kei taku ngākau.'

Ka mea atu te tāne, 'Kei hea ngā tamariki nei?'

'Kāore nei, kua ngaro noa atu i te ata — kei hea rānei, kei hea rānei?'

Kātahi ia ka titiro ki ngā ngutu, ka karakiatia e ia. Ko tāna karakia tēnei:

Tukia, parea,
Whakaruakina te kai a te kawau ki waho puare!
Ka hikihiki te pā, ka rangahau te pā,
Ko te pā iara o Tū-tawake.

Ka puta ki waho ngā tamariki i horomia nei, he taiaha tā Tū-tawake, he huata tā Nini.

Ko te kōrero tēnei o te wahine tāhae, kōhuru i āna tamariki. I a Uta tēnei kōrero, he mataku nōhona i tāna wahine koi horomia oratia rātou ko āna tamariki e Houmea. Ka kōrero atu ki āna tamariki, 'E hika mā, tēnei taku kōrero ki a kōrua. E unga au i a kōrua kia haere ki te wai, auaka rawa kōrua e haere. E whakatumatuma ahau ki a kōrua, auaka rawa kōrua e haere. E kī ahau ki a kōrua kia pātukia ki te rākau, auaka rawa e haere ki te wai. E whakawehiwehi ahau ki a kōrua, auaka rawa e haere.'

[A]o atu rawa, tērā ka unga; taringa tonu ngā tamariki ra ki te unga a tō rāua pāpā. Ka mea a Uta ki te wahine, 'E kui, e kui! Kāore e haere atu ki tētahi wai mōhoku? Ka mate rawa au i te wai, inā hoki e unga noa nei ki ngā tamariki nei, tē haere, tē aha; taringa turi ana.'

Ka haere tērā, a Houmea, ki te wai, ka karakiatia atu i muri i a ia. Ko tāna karakia tēnei:

Mimiti te wai, pakoa te wai —
E ahu ki te hukinga, e hou ki te whenua!

E haere atu ana a Houmea, e haere ana hoki te wai, e whakangaro ana, e mimiti haere ana.

Kātahi a Uta ka kī atu ki āna tamariki kia haere rātou. Ka haere ngā tamariki ra ki te tāhuna, ka tohutohu ia ki te kāinga — ki ngā whare, ki ngā uru rākau, ki te hamiti, ki te taumata — kia karanga ai a Houmea, kia whakaō katoa rātou ki tāna karanga, kei noho puku rātou ki tāna karanga.

Ka mutu tāna tohutohu, ka haere ia ki te tāhuna. Ka tōia te waka, ka mānu kei te moana, ka eke rātou ki runga, ka whakaarahia te hēra, ka rere tō rātou waka.

Ka aua atu te rerenga, tēnā pea a Houmea ka tae mai ki te kāinga, ka karanga, 'E koro, e koro! Kei hea koutou ko ā tāua tamariki?'

Ka whakaō mai i te hamiti, ka whakaō mai i ngā whare, i ngā uru rākau, i te taumata; ka hē te manawa, ka mapu, ka tangi. Ka haere ki runga ki te taumata, ka titiro ki te moana; titiro rawa atu, e whakatarawai atu ana ki tawhiti. Ka haere ki te tāhuna, ka tomo ia ki roto ki te kōau, ka haere atu ia i runga i te kare o te moana.

Ka titiro mai ngā tamariki ra ki uta; tiro rawa atu, ko Houmea e haere mai ana i muri i a rātou. Ka karanga rāua ki tō rāua pāpā, 'E koro, e koro! Ko te atua nei e haere mai nei!'

E mae ana hoki tō rāua pāpā, ka mea mai tō rāua pāpā ki a rāua, 'E hika mā! Me aha ra au, koi mate i te atua na te horo ki roto ki tōna puku?'

Ka kī atu ngā tamariki, 'Ē, me huna koe e māua ki raro o te raho o tō tātou waka kia ngaro ai.'

Ka hunaa e rāua, ka ngaro; e haere mai ana tērā, a Houmea, ki te patu i a Uta hei kai māhana, e hāmama haere ana mai te korokoro ki te horo i a rātou: 'Kei hea taku kai?'

Ka karanga atu ngā tamariki, 'Kei uta tonu na. I haere mai māua ki te hī ika, ka kāhakina mai nei māua e te hau.'

Ka karanga mai ia ki a rāua, 'Ka mate au i te kai.'

Ka hoatu e ngā tamariki he ika tunu māhana, ka kai, ā, kāore ia i ora. Ka mea mai ki a rāua, 'He nui ā kōrua ika, kāore au [i] ora.'

Ka mea atu ngā tamariki ki a ia, 'E kui, e kui! Tēnei tonu te kai tetere māhau kei runga [i] te ahi e tū ana.'

Ka karanga mai ia, 'Hōmai, kia kainga ake!'

Ka karanga atu rāua, 'Hāmama tō waha.'

Ka pīnohia e rāua ki roto ki tōna korokoro te kōwhatu nui whakahara-hara; tatū rawa ki te puku, ko te papātanga o te puku.

Ka mate tērā, a Houmea, i konei, ko tōna kōiwi he kōau e ora nei. Ko ngā mahinga tēnei a Houmea e noho nei i te ao nei; tōna whakataukī, 'Ko Houmea kiko taratara.' E mau nei anō i nāianei te ingoa o Houmea i ngā wāhine pūremu, i ngā wāhine tāhae e noho nei i te ao nei.

Ka mutu i konei.

Houmea and Uta

THIS IS THE story of a woman who was a thief. Houmea was this woman's name; she was a monster. Uta was her husband.

The husband went to sea to catch fish for himself, his wife and their sons — their sons' names were Tū-tawake and Nini. He went to sea, he caught plenty of fish, and he paddled back to the shore. Then he waited for his wife to come and collect the fish, but she didn't come. He went home and told the woman, 'Wife, wife, I waited a long time for you there, but you didn't come hurrying down.'

And she, Houmea, said, 'Husband, it was the boys' fault. They were disobedient.'

Then she, Houmea, went to the beach to fetch the fish. But when she reached the canoe, she swallowed the fish down into her stomach — she swallowed them all down. She went to pull up cutty-grass and sow-thistle to drag about on the sand, and she made footprints, little ones and big ones. She dragged around the sow-thistle and cutty-grass, and she trampled the sand so that it was all disturbed, and people would think a war party had stolen the fish.

She went home sobbing, and said to her husband, 'The pile of fish is gone, it's been taken by thieves or a war party.'

Her husband said, 'Who in the world could those thieves be?'

And she, Houmea, said, 'It was all the hordes of sea fairies.'

'Yes, it must be them.'

They slept, and in the morning the husband again went to sea. He caught plenty of fish, he paddled back to the shore, then again he waited for his wife. He kept on waiting for Houmea to come hurrying down to collect the fish, but she didn't do so. Then he went home and said, 'Wife, wife, however long I sat on the beach waiting for you, you'd never come hurrying down, never!'

Then Houmea got up and went to the canoe, and there she swallowed down the fish. Uta sent the boys to watch her — and when they got there, they found her swallowing down the fish! The boys came back and told their father — they said, 'Father, father, it's Houmea herself who's swallowing the fish in your canoe!'

When she came home she was sobbing. She told her husband, 'Your pile of fish is gone, someone has taken them.'

Her husband said, 'Woman, who is this person? These boys were right there watching, and they saw it's you yourself who's swallowing the fish in my canoe.'

She was greatly embarrassed, and she tried to conceal and deny her fish-swallowing theft, saying she'd never done such an evil thing as to steal someone's food. And in her heart she said to her sons, 'Very well, very well, I'll get even with you!'

The very next morning he went out to sea. When his canoe was afloat, Houmea said to one of her sons, 'Son, fetch some water for us, we're thirsty.'

When the boy was gone, she called to the other son, 'Son, come here and I'll clean your head of lice.'

The boy went to her and she cleaned his head, then she swallowed him down into her stomach. When the other son came back from the water she swallowed him down as well. The two of them were killed by her — swallowed down into her stomach, there to stay.

When the husband's canoe returned to land he came home and found her lamenting, with blowflies hovering around her lips. The husband said, 'Wife, you are ill!'

She said, 'Yes, yes!'

'Where is the spirit that is eating you?'

'In my stomach, in my bowels.'

Then the husband said, 'Where are our sons?'

'They're not here. They've been gone since morning, they must be far away, I've no idea where they are.'

And then he saw her lips, and he recited a karakia over her. This is his karakia:

Let it be struck, let it be turned aside,
Let the shag's food be disgorged, come out!

The obstruction is lifted, the obstruction is sought for —
It is Tū-tawake's obstruction.

Then out came the sons she had swallowed. Tū-tawake was holding a taiaha and Nini was holding a spear.

This is the story of the woman who was a thief, and murdered her children. The story is about Uta, who was frightened of his wife, thinking that he and his sons would be swallowed alive by Houmea. He told his sons, 'Boys, here are my instructions. I'll tell you to go for water, but you must not go. I'll get angry with you, but you must not go. I'll say you'll be beaten with a stick, but you must not go for water. I'll act in a terrifying way, but you must not go.'

The very next day he told them to go, but the boys paid no attention to their father's commands. Then Uta said to his wife, 'Wife, wife, won't you get some water for me? I'm very thirsty, because I keep telling these boys but they won't go, they take no notice at all.'

Then she, Houmea, went for water, and behind her he recited a karakia. This was his karakia:

Let the water dry up, let the water disappear —
Go back to the source, sink into the ground!

As Houmea went towards it, the water went away from her, disappearing and drying up.

So then Uta told his sons that the three of them must go. The boys went to the beach, and he gave his instructions to his home — to the buildings, the clumps of trees, the privy, and the lookout place on the hill — telling them that if Houmea should call they must all of them answer her call, not stay silent. After giving his instructions, he went to the beach. They hauled down the canoe and launched it on the water, then they went on board and raised the sail, and the canoe sped across the sea.

When they had sailed far away, Houmea must have come home and called, 'Husband, husband, where are you and our sons?'

Then answers came from the privy, the houses, the clumps of trees, and the lookout place on the hill; her heart failed her, and she sobbed and cried. Then she went up to the lookout place on the hill and she looked out to sea; she gazed out, and far in the distance she saw the canoe like a speck on the horizon. She went to the beach, entered into a shag, and set out across the surface of the sea.

The children looked back towards the shore — and as they looked,

The black shag.

there was Houmea coming up behind them! They called to their father, 'Father, father, the spirit is coming towards us!'

Then their father was very frightened. Their father said to them, 'Boys, what can I do? I'll be killed, the spirit will swallow me down into her stomach.'

The boys said to him, 'Oh, we'll hide you under the deck of the canoe so you won't be seen.'

They hid him, and he couldn't be seen. She, Houmea, was coming up to kill Uta as food for herself, her throat gaping wide to swallow them: 'Where's my food?'

The boys called, 'He's still there on the shore. The two of us went fishing, and the wind blew us out here.'

She called to them, 'I'm hungry!'

The boys gave her a roasted fish, and she ate it. But she wasn't satisfied, and she said to them, 'You've got plenty of fish, and I haven't had enough.'

The boys said, 'Mother, mother, we've got a great big piece of food on the fire for you!'

She called, 'Give it to me to eat!'

They called back, 'Open your mouth wide!'

With two sticks, they threw a huge stone down her throat — it went all the way down to her stomach, and the stomach burst!

Houmea died at that, and now she lives in the form of a shag. The things Houmea did are still in this world, and the saying about her is, 'Houmea, rough and ugly flesh.' The name Houmea is still given now to evil, thievish women living in this world.

That is the end.

18 *The adventures of Paowa*

RUAHINE-MATA-MĀORI, THE WITCH in this story, has much in common with the devouring Houmea, and their stories must be related. She too is tricked into going further and further away to fetch water for the hero, then pursues him across the ocean and is defeated by being given hot stones instead of food.

We are not told where Ruahine-mata-māori lives, but other stories tell of an old woman of this name (or a similar one) who has kūmara, or sometimes whales, and who lives in the homeland of Hawaiki; sometimes too she has a daughter, whom the hero marries. Often, then, Ruahine-mata-māori is in possession of fertility (the kūmara, the whales, the daughter), and sometimes she offers the hero assistance (compare the nameless old woman in the story of Hine-poupou and Te Oripāroa).

In this story as well, Ruahine-mata-māori offers the hero a meal. But Paowa is apparently suspicious; he destroys her home, and she then attacks him. So in this particular story she appears as a 'bad woman' who threatens the hero.

In escaping from her, Paowa suffers vicissitudes. But when he appears as an unknown beggar at his own funeral, he is protected and assisted by a 'good woman'. When finally he is seen in his true splendour, and is recognised, Paowa marries the good woman's daughter.

The story was written or dictated in about 1850 by an unknown storyteller in the far south of the South Island.

Ko Paowa

HE TANGATA E haere ki te kāinga o Te Ruahine-mata-māori (ko te rua ia o ōna ingoa, ko Te Ruahine-kai-pīhā). He tāua whaiwhaiā tēnā wahine, he wahine karakia kūmara. Ā, ka ū te waka a Paowa ki te kāinga o Te Ruahine, ka taona mai he kūmara ma rātou, he pīhā.

Ka mutu te kai, ka mate rātou i te wai. Ā, ka haere te tāua ki te wai, ka whaiwhaiātia e Paowa. Tae atu taua tāua ki te wai, kua pakihi atu; haere ki tērā wai, kua pakihi atu. Ka eke ki runga ki tētahi hiwi, ka makere ki raro; ka haere, ka piki ki runga ki te hiwi; ka tahuri mai ngā kanohi ki tōna kāinga — e kā ana i te ahi! Ka karanga mai taua tāua:

Ka wera ra taku whare, ko tōku whata ka waiho,
Ka wera ra taku taumatua, ko taku rua ka waiho,
Ka wera ra taku māra, ko taku takitaki ka waiho,
Ka wera ra aku paepae tutae, ko aku kurī ka waiho!

Ā, ka tae mai taua tāua ki tōna kāinga, e kā ia anō i te ahi. Ka tirotiro taua tāua anō ki te haerenga o te waka, ka haere atu ki tātahi titiro ai. Ka hoki mai ki uta, ka tonoa atu ōna kurī. Ka haere ki tātahi ōna kurī, ka whakamono ki rō o te wai, ka hokihoki. Ka mahara taua tāua anō, 'Nā anō te huanui i haere ai.'

Ka rukuruku ra i tōna manawa ki te tātua, ā, ka hinga ki ngā kura, ka whaoa ki roto ki ōna kēkē. Ā, ka makere ki roto ki te wai. Ka kau, ka ruku; ā, roa noa atu te wā i ruku ai, ka korowhiti ake; ka titiro, ā, ka kitea te waka. Ā, ka ruku, ā, roa noa atu, ka korowhiti ake; ka titiro, kua tata.

Ka peke atu a Paowa ki te hoe. Ā, ka ruku taua tāua ra, ka korowhiti ake; kua tātata. Ka whakaeke a Paowa ki uta, ka rere ki roto ki te ana; ka tukua atu te waka kia haere te kauhoe.

Kei rō o te ana a Paowa e noho ana. Ka tae atu taua tāua anō ki waho o te ana, ka rakuraku atu ngā ringaringa ki ngā pōhatu o te ana, kua oti te pā mai; rakuraku noa atu ki waho. Ā, ka kā te ahi a Paowa, pangaina ngā pōhatu ki runga ki te ahi, ka kā ngā pōhatu. Ā, ka karanga mai a Paowa, 'Tāua, kei te aha koe?'

Karanga atu taua tāua, 'Tēnei anō ahau.'

Kua taona hoki he kai e Paowa, ka karanga mai tērā, 'Nā tāu kai.'

Whāwhai atu taua tāua, ka karanga, 'Te reka o te kai o tōku moko-puna!'

Ka karanga mai a Paowa, 'Hāmama tōu waha, e moe ōu kanohi.'

Ka hāmama te waha, ka pangaina mai te pōhatu wera; ka auē taua tāua ra, ka mate. Ka whāia mai e Paowa, ka kohara i roto i ngā kēkē, ka riro ngā kura i [a] Paowa. Ka kohara i ētahi kēkē, ka whāia mai e Paowa, ka riro i a ia ngā kura hoki.

Ka noho a Paowa, ā, pō maha noa atu, kāhore hoki he huarahi — kua riro ngā kauhoe i runga i te waka, kāhore he ara ki uta. Ā, ka hiko ki te poro rākau, ka tomo ki roto, ka mānu ki te moana.

Kua tae atu te kauhoe ki te kāinga a Paowa; te taenga atu, ka karanga atu, 'Kua mate a Paowa!'

Ka nōhia he marae mo te tūpāpaku, ka takaina he kai mo te marae. Ka haere mai ngā wāhine, ka tangi ki te tūpāpaku. Ka haere atu te kaiwahie o te kāinga ki te wahie, ka kitea te poro rākau e paea ana ki uta. Ka haere te hunga wahine, te kaiwahie, ka hurihia taua poro rākau ki uta; ka waiho i reira, he taumaha, he mākū. Kāhore rātou i mātau he tangata i roto.

Ka hori rātou, ka puta a Paowa ki waho i taua poro rākau. Ka haere, ka tae atu ki tētahi wāhi, ka waiho ōna kura. Ā, ka whakakino a Paowa i a ia, ka whakatia rawa. Ā, ka haere, ka tae ki te kāinga.

Rokohina atu ngā umu mo te marae; ka maoka, kohikohia ana ki roto ki ngā rourou. Ka inoi atu a Paowa kia hōmai he kai māhana, ka kī atu ngā tāngata, 'Māhau rāia ngā kai no te marae!'

Ka kī atu tētahi wahine, he tāua, 'Aua, e tā, e inoi mai nei kia hoatu he kai māhana.'

Ā, ka hoatu he pakapaka ki a ia.

Ka inoi atu tērā, a Paowa, 'Māhaku tētahi hinu.'

Ka kīia mai e ngā tāngata, 'Tāu e tae mai nei he hinu! Kua mahiti ra hoki mo te marae o te tangata.'

Ā, ka kī atu tētahi wahine, 'Kāti koia ūā ana, tīkina māhana ētahi hinu.'

112

Ā, ka tīkina, ka hōmai.

Ka kī atu a Paowa, 'Tīkina mai māhaku tētahi weruweru.'

Ka kī atu ngā tāngata, 'Kei whea hoki tēnā weruweru! Kāhore hoki he weruweru.'

Ka kī atu tērā wahine, 'Ā, uā ana, tīkina tētahi weruweru māhana.'

Ā, ka tīkina, ka hoatu ki a ia.

Ka kī atu tērā, a Paowa, 'Māhaku tētahi piki hoki.'

Ka kōrero mai ngā tāngata, 'Kei te kī piki mai hoki! Haere atu koe, kāhore he piki tahi.'

Ka kī atu tērā wahine, 'Tīkina uā ana tētahi piki.'

Ā, ka tīkina. Ka ngaro atu a Paowa.

Ka haere a Paowa. Ā, no ka tae ki tōna nohoanga, ka horoi i a ia. Ka oti te horoi, ka pani i a ia, ka koukou, ka titia ngā piki, ka kākahuria ngā weruweru, ka kākahuria ngā kura o taua tāua whaiwhaiā. Ā, ka oti, ka haere a Paowa ki te kāinga.

Ā, ka kitea, ka karangatia e ngā tāngata, 'Tēnei rāia te tangata, te tangata āhua puku te haere mai nei!'

Ā, kei te karanga tou ngā tāngata kia haere mai. Ka kīia e tētahi wahine ma tāna tamāhine taua tangata pai, ka kīia e tētahi atu wahine, ma tāna tamāhine kē ia. Ā, ka tae mai a Paowa, ka noho, ka anga atu ki tētahi tamāhine pai, he mokopuna no te taua nāna i pai ki a Paowa.

Ā, ka noho, ka titiro ngā tāngata ki ngā kanohi o Paowa, ka ui atu, 'Ko wai koe?'

Ka kī mai tērā, 'Ko au, ko Paowa.'

Kātahi anō ngā tāngata ka mahara, 'Ko Paowa, ko te tangata i kīia ra kua mate! Kāhore, kei te ora anō.'

Ā, ka manawa-reka ngā tāngata.

Paowa

THIS WAS A man who went to the home of Te Ruahine-mata-māori (her second name was Te Ruahine-kai-pīhā). This old woman was a witch, and she knew the ritual chants for kūmara. Well, Paowa's canoe landed at Te Ruahine's home and she cooked some kūmara for them — they were small kūmara.

After their meal they were thirsty, so the old woman went for water. And Paowa bewitched the water. When the old woman got to the stream, it had dried up; she went to another stream, and that had dried up too. She climbed a ridge and down again, she went on, she climbed

another ridge — and when her eyes turned to her home, it was on fire!
Then the old woman called:

If my house is burnt, let my storage platform remain.
If my place for kūmara ritual is burnt, let my storage pit remain.
If my garden is burnt, let my fences remain.
If my privy is burnt, let my dogs remain.

When the old woman got back to her home, it was all burnt up. Then
she looked around everywhere to see where the canoe had gone, and she
went down to the shore to look. Then she came back and sent down her
dogs. When the dogs reached the shore they sniffed about in the water,
then they came back. And the old woman thought, 'That's the way
they've gone.'

Then she bound up her breath with her belt, and she seized her red-
feather capes and put them under her armpits. And she went down into
the water.

She swam, she dived down, then after a long while she came up again;
she looked around, and she saw the canoe. So she dived down, and after a
long while she came up again; she looked around, and saw she was close
to them.

Then Paowa bent over his paddle. The old woman dived down, and
she came up again; by now she was very close. Paowa landed the canoe
and ran into a cave, leaving the crew to go on with the canoe.

So Paowa was sitting inside the cave. When the old woman came up, she
scratched with her fingers on the stones of the cave, where he had
blocked up the entrance — in vain she scratched on the outside. Then
Paowa lit a fire and threw some stones on the fire. When the stones were
hot, Paowa called, 'Old woman, what are you doing?'

The old woman called back, 'Here I am!'

And Paowa had cooked this food — so he called, 'Here's some food for
you!'

The old woman was eager for the food. She called, 'How good my
grandson's food is!'

Paowa called to her, 'Open your mouth wide, and shut your eyes.'

She opened her mouth wide, and he threw in a hot stone — the old
woman shrieked and groaned, and she died. Paowa grappled with her,
and light shone from her armpits — and Paowa took away her red-feather
capes! Light shone from both her armpits, Paowa grappled with her, and
he took away her red-feather capes.

114

Paowa went on living there for many nights, since there was no way he could go — the crew were gone in the canoe, and there was no way of reaching land. Then he seized upon a log. He entered it, and he floated across the ocean.

Meanwhile the crew had reached Paowa's village. And when they reached it, they called, 'Paowa is dead!'

A marae was made ready for the man who had died, and food was prepared for the marae. Women came, and they wept for the dead. And the people who collected the firewood for the village went looking for firewood, and they found the log washed up on the shore. Then that group of women, the people collecting the firewood, turned the log over on the shore. And they left it there, because it was heavy and wet. They didn't know there was someone inside.

When they were gone, Paowa came out from the log. He set off, and he left his red-feather capes at a place there. He made himself look poor and wretched, like a slave, then he went on, and he reached the village.

He came across the ovens for the marae. The food had just been cooked, and it was being put into the baskets from which it would be eaten. Paowa begged them to give him some food, and the people said, 'What, give you the food that's for the marae!'

Then one of the women, an old woman, said, 'Don't be angry, friends, he's just asking for food.'

And she gave him some scraps.

Then he, Paowa, begged, 'Give me some oil.'

The people said, 'So you want some oil, do you! All the oil is for the marae for the funeral.'

Then the woman said, 'Never mind, please get some oil for him.'

So they got it and gave it to him.

Then Paowa said, 'Get a cloak for me.'

The people said, 'Where would we get a cloak for you? There's no cloak for you.'

But the woman said, 'Come on, please get a cloak for him.'

So they got one and gave it to him.

And then he, Paowa, said, 'Now give me a plume as well.'

The people told him, 'Now you're saying you want a plume! Go away, there's not a single plume for you.'

But the woman said, 'Please get a plume.'

So they got one.

Then Paowa left them. He went off to the place where he'd been before, and he washed himself. After washing, he anointed himself with oil, he bound up his hair, he put the plumes on his head, and he put on the cloaks and the red-feather capes that the old witch had possessed. Then after this Paowa went to the village.

And when he was seen, the people called, 'Oh what a man this is coming, what a handsome rangatira!'

The people kept calling a welcome to him. And each of the women said that this fine man must marry her daughter.

So then Paowa arrived, and he sat down. And Paowa chose a fine girl who was a grand-daughter of the old woman who had been kind to him.

As Paowa was sitting there, the people looked at his face, and they asked, 'Who are you?'

He told them, 'It's me, Paowa.'

So then the people thought, 'He's Paowa, the man we were told was dead! But no, he's still alive!'

And they were all delighted.

19 *Little Tieke, the dancing thief*

THIS EAST COAST tale seems simple enough, but is very old in its origins. It appears to be just an anecdote, told perhaps because of the song associated with it. But in two related versions which are known in the South Island, the dancing thief steals from a woman called Ruahine-mata-morari, or Blind-old-woman. These stories are myths, and the old woman is sometimes said to live in the homeland of Hawaiki. She has two treasures, kūmara and a daughter – and these, to-gether, represent fertility. The dancing thieves trick her into parting with both her kūmara and her daughter.

The story published here was written by Mohi Ruatapu of Ngāti Porou in 1876.

Ko Tieke-iti

HE KŌRERO TĒNEI no Tieke-iti rāua ko Tieke-rahi. He puta kē ēnei tāngata no te tāhae. Ka haere te tuakana ki te hī ika, ka haere te taina ki te tāhae kūmara. Pēnā ana i ngā tāima katoa.

Tiakina ana e te iwi nāna ngā kai; no te ōnga ki roto ki te rua, ka pāia te rua, ka mau te tāhae ra. Kātahi ka mea ngā tāngata nāna ngā kai, kia patua. Ka mea atu ia, 'Taihoa e patu i a au, kia haka au ki a koutou.'

Ka mea te iwi ra, 'Ae, āe!'

Kātahi ia ka tīmata i tōna haka, ka whakahau i tōna ingoa:

Tieke taretare, tieke taretare,
Pō! Tū ana i waho!

Ka mihi te iwi ra ki te pai o tōna haka, tuku tonutia kai haka. Puta tonu atu ki waho, oma ana, kāore tahi i mau.

Ka mutu tēnā.

Little Tieke

THIS IS A story about Little Tieke and Big Tieke. Where stealing was concerned, these men were quite different. The elder brother would go out fishing, and the younger brother would go stealing kūmara. All the time it happened like that.

The people who owned the kūmara lay in wait for him, and when he was inside the storage pit they blocked the entrance and they caught that thief. Then the owners of the kūmara said he must be killed. But he said, 'Wait, don't kill me till I've danced for you.'

Everyone agreed to this. 'Yes, yes!'

So then he started to dance his haka, chanting his name.

Ragged Tieke, ragged Tieke!
Come and look, standing far off!

They praised his haka and let him keep on. He got further away all the time, then he ran off and they couldn't catch him.

That's the end.

20   *The greenstone fish-hook*

FISHERMEN TOOK KAHAWAI by trolling with fish-hooks, or spinners, inlaid with shining pāua shell. No bait was used. The canoe sailed or was paddled at full speed through the school of kahawai, the brilliantly coloured hooks were pulled behind to resemble small, darting fish, and the kahawai jumped at them. The pāua shell inlay was carefully chosen, and the hook itself was shaped from hard wood or bone, or, very rarely, precious greenstone.

Tapa-kākahu, an ancestor of Te Whakatōhea tribe in the Ōpōtiki district in the southern Bay of Plenty, owned a greenstone fish-hook which was a family heirloom. This story tells how he lost his hook, then found it again.

The Mōtū River, to which Tapa-kākahu ran, is some 30 kilometres north-east of Waiaua, where he had his home. Great numbers of kahawai were taken at its mouth, and the river was said to be the well-spring, or puna, of all the kahawai in the ocean. It is still a good place to catch them.

The story was written about 1890 by Tīmi Wāta Rimini of Maraenui, near the mouth of the Mōtū.

Te rironga o te pāua a Tapa-kākahu i te kahawai

PĒRĀTIA AKE: KA noho tērā tangata, a Tapa-kākahu, i tōna kāinga puihi i Waiaua, i te taha whakauta o Ōpōtiki.

Ka mate taua māia ra i te hiakai ika, ka tae ki tāna pāua pounamu, ka hoe ki te moana, ka whiua tāna pāua ki te wai. I runga anō e haere ana, ka hopukia e te kahawai. Ā, no ka tata pū ki te ngahuru āna ika, ka kawea rāpea e te pārekareka, ehara, ka riro i te pīki kahawai tāna pāua.

Ka pōuri te māia nei ki tāna pāua, he oha hoki na ōna tūpuna. Ka hoki ki uta, ka tae ki te kākahu waero, hīpokina iho ki runga i a ia. Ka haere te māia nei ki te whai i te tere kahawai ra; ko te tere kahawai ra ki waho i te moana haere ai, ko te māia ra ki uta oma haere ai, me te oma, [m]e te karakia haere.

118

Kua mōhio hoki te māia nei, e ahu ana te tere kahawai ra ki Mōtū, koirā hoki te puna o te kahawai i tēnei motu katoa. Ā, he mōhio hoki nōna, tērā pea e haoa e Te Whānau-a-Apanui ki te kupenga te tere kahawai ra, tērā pea ka mau mai i roto i te tini o te kahawai te nanakia kahawai ra i kāhaki atu ra i tāna pāua.

Heoi, ka tae atu te māia nei ki Mōtū, i Marae-nui. Tae rawa atu, kua haoa mai te tere kahawai ra e Te Whānau-a-Apanui ki te kupenga, rite tonu ki tāna i whakaaro ai.

Ka uia mai e ngā rangatira o Te Whānau-a-Apanui, 'He aha rawa te take i kitea mai koe?'

Kāhore rawa i hamumu te waha o te māia nei; e whakamau tonu ana hoki ōna mata ki te tini o te wāhine e tuaki ana i te kahawai.

Inamata, kīhai i roa, ehara, ka kitea e te wahine ra te pāua ra, e mau tonu ana i te waha o te nanakia kahawai i kāhaki mai ra i te pāua ra. Ka pā te karanga a te wahine ra, 'He pāua ē, he pāua pounamu tāku, i te waha o te kahawai nei e mau ana!'

I hikitia tonutia mai hoki te nanakia kahawai ra e te wahine ra. Ka popō i konei te tini o te tāngata ki te mātakitaki.

Anō ra ko te māia ra ka tū ki runga i roto i te tini o te tāngata. Kātahi anō ka hamumu te waha; ka karanga atu ki te wahine ra, i roto i ngā mano, 'E hika ē, koinā te take i kite[a] mai ai [a]hau: he whai mai i tāku pāua, na te nanakia kahawai na i kāhaki mai i Tirohanga.'

Anō ra ko te wahine ka hoatu te pāua a te māia ra. Ka tae te māia nei, a Tapa-kākahu, ka hīpokina atu tōna kākahu waero ki te wahine ra.

Ka hoki te māia nei ki tōna kāinga, ki Waiaua, i te mea kua hari tōna ngākau. Engari kua mate rawa hoki te māia nei i te hiakai; kāore anō i kai mai anō o te ata, ā, kua tata tēnei ki te torengi o te rā. Ka mea atu ngā tāngata ki a ia, 'E noho ki te kai. Kia ora, ka haere ai.'

Ka whakahokia mai e taua māia, ka mea, 'Ā, he kai ra hoki i Waiaua ra!'

The kahawai.

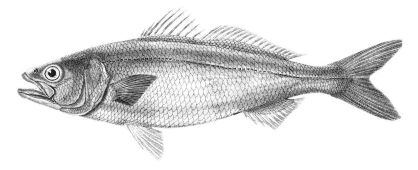

Mau tonu iho hai whakataukī ma ōna uri i muri nei, taea noatia tēnei rā.

Whakamāoritanga o tēnei whakataukī: ko te tangata e haere kaikā ana ki tōna kāinga, ka puritia atu e tētehi tangata kia kai, ka haere, ka whakataukī mai, 'Ā, he kai ra hoki i Waiaua ra!'

How Tapa-kākahu's fish-hook was taken by a kahawai

IT HAPPENED LIKE this. That man, Tapa-kākahu, lived at his home in the bush at Waiaua, inland from Ōpōtiki. One day he wanted some fish to eat, so he took his greenstone fish-hook inlaid with pāua, he paddled out to sea and he threw the hook into the water. And as it went along above the water, the kahawai rose to take it. Then when he had as many as ten fish, and was highly delighted, a big kahawai suddenly carried off the fish-hook!

Our hero was very upset at this, because the hook was an ancestral heirloom. He went back to the shore, and he took his dogtail cloak and put it on. Then he started following the school of kahawai. They swam along out at sea, and he went running along the shore. He ran along, reciting karakia as he went.

He knew that the school of kahawai was making for the Mōtū River, because that is the source of all the kahawai in the land. And he knew that Te Whānau-a-Apanui would probably net the school of kahawai, and that the one that had carried off his fish-hook would very likely be caught with all the rest of them.

And so at last our hero came to Marae-nui, on the Mōtū River. When he arrived he found that Te Whānau-a-Apanui had netted the school of kahawai, just as he had thought they would.

The chiefs of Te Whānau-a-Apanui asked him, 'How is it that we see you here?'

But our hero didn't say a word. His eyes were fixed upon all the women gutting the kahawai.

Very soon, one of them found the fish-hook! It was still in the mouth of the rascally kahawai that had carried it off. The woman cried, 'Why, here's a pāua fish-hook! I've got a pāua fish-hook of greenstone, here in the mouth of this kahawai!'

She held up that rascally kahawai, and everyone crowded round to look.

Then our hero stood up in the midst of all those people. At last he spoke. He called to the woman, there among that multitude, 'My friend, that is why you see me here. I came after my pāua fish-hook, which was carried off at Tirohanga by that rascally kahawai there.'

Then the woman gave our hero his pāua fish-hook, and he, Tapa-kākahu, took off his dogtail cloak and presented it to her.

After this he returned to his home at Waiaua, for his heart rejoiced. But he was very hungry, because he had not eaten since morning and it was now near sundown. They told him, 'Stay for a meal, and go back after you've eaten.'

His answer was, 'But there's also food at Waiaua!'

This reply became a proverb among his descendants. They still use it today, and this is how they do so. Someone will be on his way home, and anxious to get there. When pressed to have a meal he'll keep on going, and he'll say, 'But there's also food at Waiaua!'

21 *Hihi-o-tote the murderer*

THIS ENEMY OF his fellow humans is said to have led a solitary existence in a swampy hollow at Ōtaua, which is some 12 kilometres south of Kaikohe. The men who overcame him, Mahia and Orokewa, lived at Awarua, about 15 kilometres south-east of Ōtaua. We are told that Hihi-o-tote's last words became proverbial.

An unknown author wrote this story some time before 1891.

Ko Hihi-o-tote

KO TE KŌRERO tēnei o Hihi-o-tote. Ko tōna kāinga kei Ōtaua, ko tāna mahi he patu tangata. E kore te tāngata e haere noa i a Hihi-o-tote i namata.

Ko tāna mea whakamate tangata he maire, he mea whakakoi nāna, me te koinga oka na te Pākehā. Ka noho ia i tana kāinga; ka rongo ia i te reo tangata, ka mau ia ki tana komeke, mau atu ki tana oka, ka haerea e ia ki mua o te ara noho ai. Ka puta atu aua tāngata haere, kua karanga atu a Hihi-o-tote, 'Haere mai, haere mai' — ānō e karanga atu ana i runga i te ngākau rangimārire, me tērā hunga hoki e haere mai ra, hua noa e karanga mai ana i runga i te aroha.

Kua hongi; ū kau anō te ihu, kātahi ka werohia ake ki te korokoro. Ko tana oka, he mea titi ake i roto i te whiri o tana komeke. Ka mate, ka mauria e ia ki tana kāinga. Ka mahia e ia, ka huahuaina hei kai māna.

Pēnā tonu tana mahi, tae noa ki te ngaronga o te tamāhine a Mahia.

Ka mātau anō a Mahia kua mate tana kōtiro i a Hihi-o-tote, ka hanga a Mahia i tana pūtara, he kauri. Ka oti, kātahi ka haere rāua ko tana tamaiti, ko Orokewa. I haere atu rāua i tō rāua kāinga, i Awarua, ka ahu tā rāua haere ki Mataraua, puta noa ki Ōtaua, ka eke rāua ki Puke-kākā. Ka noho rāua ki reira, kātahi ka whakatangi a Mahia i tana pūtara. Ko tana tamaiti, ko Orokewa, peka ana ki tahaki noho ai.

Rongo kau anō a Hihi-o-tote i te tangi o te pūtātara a Mahia, tēnā rawa tō [te] tangata te rere ake na; mau atu ki tana kākahu kōwhiri, kōtuia mai te koikoi. Ka tika ake pāpā i tana whakatika, ka hari hoki ki tana kai e whakatangi mai ra i te pūtātara; haere tonu ake.

Kua puta ake, kua kite iho a Mahia, kātahi ka karanga iho a Mahia, 'Haere mai!'

Ka tara ake hoki ngā waewae o Hihi-o-tote ki te haere māna; kua tata mai, kua tuku mai i tana ihu ki te hongi. Ka kitea atu e Mahia i te koinga o te oka a Hihi-o-tote ka puta ake i te whiri o tana komeke, kātahi ka patua e Mahia ki tana pūtātara. Tukua mai anō e Hihi-o-tote, ka hemo, kātahi rāua ka mamau.

Ka pekea mai e Orokewa, ka hinga a Hihi-o-tote ki raro. Ka puta tana pepeha, he mea kī ake i raro: 'I tokoruatia a Hihi-o-tote i mate ai.'

Tukitukia ana, ka mate [a] Hihi-o-tote i a Mahia rāua ko Orokewa. Ka ora te tāngata i aua rā, no te matenga o Hihi-o-tote.

Ko te mutunga tēnei o ngā kōrero o Hihi-o-tote.

Hihi-o-tote

THIS IS THE story of Hihi-o-tote. He lived at Ōtaua, and was a murderer. In the old days, men were not able to travel freely abroad for fear of Hihi-o-tote.

He killed his victims with a dagger of maire wood which he had made as sharp as a Pākehā dagger. He would wait at his home till he heard

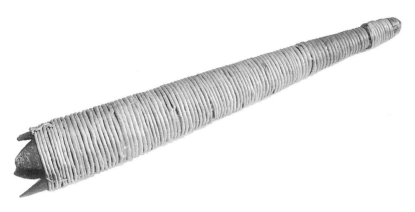

A trumpet, bound with the aerial roots of the kiekie.

men's voices, then take his heavy cloak and his dagger and go and sit beside the path. When the travellers appeared he would call out, 'Welcome, welcome!' — as if he were greeting them with peaceful intentions. And those people would go up to him, thinking he was welcoming them in all kindness.

He would hongi with someone, then as soon as their noses were together he would stab him in the throat. His dagger had been hidden in the upper hem of his cloak. The man would die, and Hihi-o-tote would take his body home, cook it and preserve it as food.

He kept on doing this until the time when Mahia's daughter disappeared.

Mahia knew very well that Hihi-o-tote had killed his girl. He made himself a trumpet of kauri wood, then when it was finished he set off with his son, Orokewa. They left their home, Awarua, and made their way to Mataraua, then right on to Ōtaua. Then they climbed to the top of Puke-kākā. They rested there, then Mahia blew a blast on his trumpet. His son Orokewa waited a short distance away.

When Hihi-o-tote heard the sound of Mahia's trumpet he made for him at once, seizing his cloak with the dagger fastened in it. He set out straight away, greatly delighted to hear his food sounding the trumpet. As he came up towards them Mahia saw him and called, 'Welcome!'

Hihi-o-tote approached at a smart pace; he drew near to them, and offered his nose in a hongi. Mahia saw the point of Hihi-o-tote's dagger as it was drawn from the cloak, and he struck him with his trumpet. Hihi-o-tote dodged the blow, it missed its mark, and the two men struggled together.

Then Orokewa leapt upon him and he was thrown to the ground. As he lay there he uttered this saying. 'It took two men to kill Hihi-o-tote.'

And so Hihi-o-tote died, battered to death by Mahia and Orokewa. After his death, the people of those days once more lived in peace and happiness.

That is the end of the story of Hihi-o-tote.

22   *The terrible head*

HAKAWAU IS A great tohunga, of whom other stories are told as well. In this tale he opposes his powers to those of two evil magicians, Pua-rata and Tau-tohito, and he is triumphant.

Hakawau's home is on the West Coast at Te Ākau, a stretch of coast immediately to the north of Whāinga-roa (for which the English name now is Raglan Harbour). He and a companion make their way to Marae-tai, at the mouth of the Waikato River, then at Putataka, nearby, they cross the Waikato (they would have been taken across by people living there). They continue past the Waitara Stream, and they finally reach Puke-tapu (that is, Tapu-hill), the home of their enemies. This hill is apparently somewhere in the vicinity of Awhitū, near the Manukau Heads.

Hakawau has been reciting karakia to prevent Pua-rata's atua, or spirits, from attacking them. Now, as they come close to the pā on Puke-tapu, his karakia send out his own spirits to fight the spirits of the enemy. Some of Hakawau's spirits deceive their opponents by feigning flight, then they fall upon them and are soon victorious.

Pua-rata's great wooden head, which has been the vessel for the spirits, is now defeated. Where once its loud cry killed all those who came against the pā, it now gives only a low moan.

Hakawau knows that his enemies are powerless, and to assert his superior powers he breaks the tapu of the pā by climbing over its palisades. Then for a time the two men rest in the tohunga's house, but they do not eat there. When they go to leave, Hakawau strikes the threshold of the house, and all those in the pā are destroyed by his magic.

This story was published in 1854. Its author is unknown.

124

He puhi mākutu

KO TE KŌRERO tēnei mo ngā puhi a Pua-rata rāua ko Tau-tohito, he puhi mākutu i tū ki Puke-tapu. I Puke-tapu ai te ingoa, he tūranga no taua puhi raka. E kore hoki e tata atu te tangata i te wehi o te tapu, koia tēnei ingoa a Puke-tapu.

Ka noho a Pua-rata rāua ko Tau-tohito me tā rāua puhi, ka haere te rongo ki Tāmaki, ki Kaipara — ki a Ngā Puhi — ki Te Ākau, ki Waikato, ki Kāwhia, ki Mōkau, ki Hauraki, ki Tauranga. Ka puta katoa te rongo mana o tēnei puhi ki ngā wāhi katoa o Aotearoa. Ko te putanga tēnei o te rongo, he mana; e kore e ora te tangata i te mana o taua puhi ra, o ngā tāngata hoki.

Na reira ngā iwi katoa i haere atu ai ki te patu i aua tāngata o te puhi ra, kia mate ngā tāngata, kia riro mai te atua hei whakamana mo ō rātou nei oneone.

Te haerenga atu, mate tonu atu. E kore e tae atu ngā tāngata ki te pā. Ko te taua haere atu i raro nei, kei Muri-whenua, ka mate; ahakoa taua, ahakoa tira haere noa, e kore e ora. Ko te huarahi haere mai i runga, kei Wai-matuku, ka mate; ahakoa taua, ahakoa tira haere, e kore e ora.

Na ēnei matematenga, kātahi anō ka puta te rongo ki a Hakawau. Kātahi ia ka mea kia haere mai ki Puke-tapu kia mātakitaki ia ki taua puhi, ki ngā tāngata. Na, kātahi ia ka tuhi i tōna atua, arā ka matakite, hei titiro i tōna aituā. Na, ka kite ia i te oranga o tōna atua: ngau ana ki runga ki te rangi, ngau ana ki raro ki te whenua.

Kātahi ia ka haere kia kite i te puhi a Pua-rata. Ko tōna kāinga i haere mai ai, kei Te Ākau. Ko taua tangata nei he tohunga; e haere ana hoki ia ki te whakataetae i tērā tohunga kia mate i a ia.

Na, kātahi nei ka haere mai ki Puke-tapu. Ka nā Te Ākau mai te huarahi, ā, Whanga-roa. Ka haere mai i tātahi, ā, Rangi-kahu, Kahu-wera, ā, puta rawa mai i Karoro-uma-nui.

Ka tae ki Marae-tai, ka pupuru taua pā ra ki a Hakawau rāua ko tōna hoa kia noho i reira ki te kai. Ka mea atu a Hakawau, 'I te kai mai anō i tua nei, e ora ana anō māua.'

Kīhai i noho; haere tonu. Ka tae ki Putataka, ka whiti, ka haere i te taitua, ā, Ruku-wai. Ka haere tonu, ā, ka tae ki Waitara. Ka pā te wehi ki te hoa o Hakawau, ka mea, 'Kei konei pea māua mate ai.'

Nāwai rā, ā, ka tae ki Te Weta, ka mahara anō te ngākau o te hoa o Hakawau, ka mea, 'Kei konei pea māua mate ai.'

Na, ka ora anō rāua i reira. Ka haere anō, ā, ka tae ki Wai-matuku. Ko

te piro o te tūpāpaku kua tae mai ki ō rāua ihu; pōngerengere ana te piro i
te tūpāpaku. Ka mea rāua, 'Kātahi pea māua ka mate i konei.'

Ko Hakawau ia e mahi ana ki a rāua. Ko te karakia a Hakawau he pare-
pare, he mono, he tute, he pā i ngā atua o Pua-rata, kei ngau ki a rāua.

Ā, ka mahue a Wai-matuku, titiro ki te tāngata e hora ana i tātahi, o
roto i te rarauhe. Ka haere tonu rāua; ka tatari i tō rāua matenga ki reira,
ā, kīhai rāua i mate i te huarahi nei. Ka haere tonu rāua, ā, ka eke i runga
i te pukepuke, ka titiro atu ki te pā e tū mai ana ki Puke-tapu. Kātahi rāua
ka noho ki raro. Kīhai rāua i kitea mai e te pā.

Kātahi a Hakawau ka whāngai i ōna atua ki ngā atua o Pua-rata. Ko
ētahi o ngā atua o Hakawau i whāngaia, ko ētahi i haere atu i muri; ko
ngā mea i haere i mua, hei tomo i te riri. Otiia, ko te tikanga o te karakia
i haere ai ēnei atua, he whāngai.

Na, ka puta mai ngā atua o Pua-rata ki waho, ka whai i ngā atua o
Hakawau te haere atu nei; warea ki te whai i ērā, ka whakaekea tonutia e
te mano. Tahuri rawa mai — ka tahuri, kua tata. Na, hopuhopu kau ana;
ka mate ngā atua o Pua-rata.

Na, ka mate ngā atua o Pua-rata, whakaeke kau ana a Hakawau ki te
pā o te waka o aua atua ra. Ka kitea mai e haere atu ana te waka o ēnei
atua, ka haere a Pua-rata ki te karanga i tāna puhi. Ko tāna karanga tēnei,
'Tēnei ētahi, ētahi — e rua ētahi!'

Kātahi ka ngunguru mai te puhi ra; kīhai i kaha te ngunguru. I kore ai
te kaha, kua mate ngā atua o Pua-rata i ngā atua o Hakawau. I konā, e
karanga noa ana ki taua puhi, kīhai i rahi te waha o taua puhi ra;
ngunguru iti nei te reo o te puhi ra.

Me i nui, kua mate rawa a Hakawau rāua ko tōna hoa, no te mea i
pērātia ngā tira e haere atu ana ki reira i mua: ka karanga ki tāna puhi, ka
kaha te karanga a taua puhi ra, ka mate te tāngata.

Ko Hakawau rāua ko tōna hoa, haere tonu atu ki te pā. Ā, ka tata, ka
mea atu a Hakawau ki tōna hoa, 'Haere, ko koe nā ngā huarahi o te pā.
Ko au, me piki au i runga i ngā wāwā o te pā nei.'

Ā, ka tae rāua ki te taiepa o te pā, ka piki a Hakawau nā runga i ngā
kuāha o te pā.

Ka kite mai ngā tāngata whenua, ka riri mai ki a Hakawau kia haere i
raro i ngā huarahi noa, kaua e haere i runga i ngā tomotomokanga o Pua-
rata rāua ko Tau-tohito. Kīhai a Hakawau i rongo ki te riri a taua iwi ra,
no te mea ki tā Hakawau kī, kīhai aua tohunga i kake ake i a ia. Tohe
tonu anō a Hakawau ki te haere i ngā wāhi tapu.

Ā, noho noa rāua ki te kāinga o taua tohunga ra. Noho kau, e tahu ana
te kai a te pā nei. Ā, roa rawa te nohoanga, ka mea atu a Hakawau ki
tōna hoa kia haere rāua. Rongo kau anō te ora ra i te kupu a tōna ariki,
hohoro tonu te whakatika.

Ka karanga te iwi ra, ka mea, 'Taihoa e haere, kia kai!'

Ka mea atu a Hakawau, 'Kua kai anō māua. I kai tata mai anō; i konei na anō e kai mai ana.'

Kīhai i noho; ka haere a Hakawau. No te haerenga, ka pākia te ringaringa o Hakawau ki te paepae o te whare i noho ai rāua. Puta rawa atu rāua ki waho, ko ngā tāngata o taua pā ra moe tonu; kīhai i ora tētahi.

The head with powers of black magic

THIS IS THE story about the wooden head owned by Pua-rata and Tau-tohito, a head with powers of black magic which stood at Puke-tapu. This hill was called Puke-tapu [Tapu-hill] because the head stood there. No one would approach it for fear of the tapu — that's why it was called Puke-tapu.

Pua-rata and Tau-tohito lived there with their wooden head, and its fame went out to Tāmaki and Kaipara — to Ngāpuhi — and to Te Ākau, Waikato, Kāwhia, Mōkau, Hauraki and Tauranga. The great fame of the mana of this head spread to every part of Aotearoa, and this was the word that went out: this head possessed mana, such great mana that no one could survive it and its owners.

So all the tribes set out to attack those men with the head, trying to kill the men and take away their spirits to give mana to their own soil. But when they went against them, they all died. Those men were not able to reach the pā.

When armies set out from here in the north, from Muri-whenua, they died; no one survived, whether they came in armies or just in parties of travellers. And on the road coming from the south, when they got as far as Wai-matuku, they died. No one survived, whether they came in armies or just in parties of travellers.

Because of all these deaths, the news came at last to Hakawau. So then he decided to go to Puke-tapu so that he could see this wooden head, and those men. And he conjured up his spirit, that's to say he practised divination to foretell his fate. And he found that his spirit would survive. It had the power to devour the enemy up in the sky and down under the earth.

So then he set out to find Pua-rata's wooden head. His village, which he left from, was at Te Ākau. This man was a tohunga, and he was setting out to try his strength against this other tohunga and to kill him. So then he came to Puke-tapu.

His path lay along Te Ākau, then Whanga-roa. He came here along the coast, through Rangi-kahu and Kahu-wera, then right on to Karoro-uma-nui. When he reached Marae-tai, the people in the pā there invited him and his companion to stay and eat. But Hakawau told them, 'We ate on the road a little way back. We're not hungry or tired.'

He didn't stay, he kept on going. He came to Putataka, he crossed over, and he travelled along the western shore till he reached Ruku-wai. He kept on going, and at last he came to Waitara. Then Hakawau's companion was stricken with fear. He thought, 'Perhaps we will die here.'

Further on they reached Te Weta, and Hakawau's companion thought in his heart, 'Perhaps we will die here.'

But they survived that place. They went further on, and soon they came to Wai-matuku. Then the stench of the corpses came to their noses — the stench was very strong. And the two of them said then, 'Now perhaps we will die here.'

But Hakawau kept performing karakia over them both. Hakawau's karakia were chants to turn aside Pua-rata's spirits, to disable them, ward them off, and strike them down so they couldn't devour them.

When they left Wai-matuku behind them, they saw people lying stretched out on the shore there, and in the bracken. They kept on going; they expected to die there, but they didn't die on this path. They kept on going, then they climbed a low hill and they looked across at the pā standing on Puke-tapu. Then they sat down there. They were not seen by the people in the pā.

So then Hakawau fed his spirits with Pua-rata's spirits — that is, he fed some of them, and the others came along behind; the ones in front led the assault. This karakia of his fed these spirits, and that's what made them go out.

Now, Pua-rata's spirits came out and pursued Hakawau's spirits as they went against them — and while they were occupied with this, the pā was assaulted by the multitude of other spirits. When Pua-rata's spirits turned back, Hakawau's spirits were close behind them! Hakawau's spirits caught Pua-rata's spirits easily, one by one, and all of them died.

After Pua-rata's spirits had died, Hakawau made straight for the pā which contained this vessel for the spirits. When he was seen approaching this vessel, Pua-rata went to call to his wooden head — and what he called was this. 'People are coming, people, two of them!'

So then the head groaned, but it wasn't a loud groan. It wasn't loud because Pua-rata's spirits had been killed by Hakawau's spirits. That's why Pua-rata called in vain to the wooden head. Its mouth wasn't able to make a great noise, its voice was only this little groan.

If it had been loud, Hakawau and his companion would have died at once, because that's what had happened to the travellers who went to the pā earlier on. When he had called to his wooden head it had cried out with a loud voice, and the people died.

Hakawau and his companion now went straight on towards the pā. When they were close, Hakawau told his companion, 'You keep to the paths that go into the pā. I'll climb right over the palisades of the pā.'

And when they came to the fences of the pā, Hakawau climbed up over the gateway.

When the people there saw this, they told Hakawau angrily that he must go beneath the gateway and along the path — not up over the places through which Pua-rata and Tau-tohito entered. But Hakawau didn't listen to those people's angry words, because he was sure those tohunga could not surmount him. He still persisted in going up over the tapu places.

They rested in the tohunga's home. They kept on sitting there while food was being cooked in the pā — and after they'd been there a very long time, Hakawau told his companion that they were going to leave. As soon as the servant heard his master's words, he jumped up ready to go.

The people called, 'Wait till you've eaten, and go after that.'

Hakawau told them, 'We've just eaten, we ate a little way back there, quite close to here.'

Hakawau didn't stay, he went off. As he went, his hand struck the threshold of the house where they had been sitting. And by the time the two of them were out of the pā, the men in the pā slept the sleep of death. Not one was left alive.

23   Tītapu's revenge

THIS IS A tale about a rivalry between two men, a struggle which ends with the deaths of both of them. Since they are brothers-in-law — and this was often a difficult situation — it is not altogether surprising that there is ill feeling between them. But there is more to it than that. The storyteller explains at the end that Pito, who murders Tītapu, was really a demon, a man-eating atua who had assumed this disguise. And when Tītapu returns from death to gain his revenge, he comes back in the form of a white heron, the most valued and prestigious of birds.

When Tītapu performs the ceremony over his new house without waiting for Pito's house to be ready, Pito's injured pride is such that he kills him, then quite appropriately buries him under his house, where his presence will strengthen the building. His sister Torotoro-kura, Tītapu's wife, performs a divinatory ritual and finds the body. Then she learns in her sleep that her husband will return in the form of a white heron.

Elsewhere, we are told of a similar ritual that causes the spirit of the dead man to appear in a dream, wearing plumes in his hair, to communicate the identity of his murderer. In this story, Tītapu returns in broad daylight, not just wearing plumes but as the bird itself. In fact he probably owes his name to the poetic word 'tītapu', which in songs refers to the plumes of the white heron. If so, he is a kind of personification.

The story is dense with meanings. The white heron alights first on the roof of the house, for this is a half-way point between the human world and the world of the supernatural. And in the contest that follows, the bird kills his evil brother-in-law with a blow on the forehead — because the forehead, in Māori thought, was a seat of mana, representative of a person's power and dignity.

The story was written in Hawke's Bay in 1862 by Hami Ropiha of Ngāti Kahungunu tribe.

Ko Pito rāua ko Tītapu

TĒNEI ANŌ TĒTAHI kōrero no Pito rāua ko tōna taokete, ko Tītapu. Hanga ana tētahi i tōna whare, hanga ana tētahi i tōna whare. Kua oti tō Tītapu, ka kī mai te taokete, a Pito, 'Ki te oti tōu whare, taihoa e kawa kia oti tōku, ka kawa tahi ai i ō tāua whare.'

Kīhai i rongo a Tītapu, kawa tonu i tōna whare. Ka kite a Pito, patua iho a Tītapu, tāpukea ai ki te tara o te whare. Ahiahi noa, e ngaro ana. Ka ui atu a Torotoro-kura ki te tungāne, ki a Pito, 'Kei whea tō taokete?'

Ka kī atu a Pito, 'Aua, kāore au i mōhio, kāore au i kite.'

Kātahi ka huki[a] e ia ngā toto o te tāne, ka tārewatia ngā toto. Oti rawa, ka tirohia atu e tamumu ana mai te rango. Kātahi ia ka haere atu, e takoto ana te tāne.

Kātahi ia ka kī atu ki te tungāne, 'I kī atu ra au ki a koe kei a koe tō taokete, kī ana mai koe kāore.'

Pō iho, ka moe a Torotoro-kura. Moe rawa iho, e haere ana mai te wairua o te tāne ki te whawhai rāua ko te taokete. Tōna kitenga i te wairua o te tāne, he manu, he kōtuku.

Oho ake ia ki te ao, ka kōrero atu ia ki te tungāne, 'Moe iho au, ko tō taokete e haere ana mai kia whawhai kōrua.'

Ka kī atu a Pito, 'Kua mate ra hoki ia. Ma tōna wairua e haere mai ki te whawhai? E kore ra te wairua e haere mai ki te whawhai.'

'Ka haere tonu mai ki te whawhai kōrua.'

Oho ake i te ata, kua noho te wairua o te tangata ra ki runga ki te whare. Kua kite ake te wahine i te tangata ra, mā tonu i te ihi o te whare e noho ana, ka karanga ake ia ki te tungāne, 'E Pito, ko tō taokete!'

Ka kite a Pito i a Tītapu, ka mau ia ki te tao. Ka rere te manu ra ki te marae o te kāinga tū ai, ka haere atu a Pito me te tao anō. Tata tonu, maheno tonu te tao; hoki tonu iho ngā ngutu, e hemo ana anō te tao, tū ana te manu ra i te taha o Pito. Ka makaia atu ngā ngutu o te manu ra, ka

The white heron.

131

tū ki te rae o Pito, ka hinga a Pito ki raro. Akiaki atu hoki, ka mate i konei a Pito.

Tōna whakamāoritanga, ko Tū-nui-o-te-ika. Ka haere a Tū-nui-o-te-ika i te awatea, he atua kai tangata i mua, i te wā Māori.

Ka mutu, mutu rawa.

Pito and Tītapu

NOW HERE IS a story about Pito and his brother-in-law Tītapu. Each of these two men was building himself a house. When Tītapu's house was finished, Pito said, 'If your house is finished, don't have the opening ceremony till mine is finished too. Then our houses can have the ceremony performed at the same time.'

But Tītapu took no notice; he did perform the ceremony over his house. When Pito discovered this, he killed Tītapu and buried him under the wall of his house.

Late that evening, Tītapu could not be found. Torotoro-kura asked her brother Pito, 'Where is your brother-in-law?'

Pito told her, 'I don't know, I have no idea. I haven't seen him.'

So then she performed the ritual over her husband's blood, and the blood rose up. When the ritual was completed, she saw a blowfly come buzzing. She followed it, and she found her husband lying there.

So then she said to her brother, 'I told you he was with you, but you denied it.'

When night came, Torotoro-kura slept. And in her dream her husband's soul was coming to fight his brother-in-law; she saw her husband's soul as a bird, a white heron. Then she woke to the world, and she spoke to her brother. 'In my dream I saw your brother-in-law coming so that the two of you can fight.'

Pito said, 'He's certainly quite dead. Will his soul come back to fight? No, souls don't come back to fight.'

'Yes, he's coming so the two of you can fight.'

When they woke next morning, the man's soul was on the house. When the woman saw the man all white on the bargeboard of the house, she called to her brother, 'Pito, it's your brother-in-law!'

Pito saw Tītapu, and he seized his spear. The bird flew down to stand on the marae of the house, and Pito advanced towards it with his spear. When he was close he hurled the spear, but the bird bent down its beak and the weapon missed its mark. Then the bird was upon him. With a great blow of its beak it stabbed him on the forehead, and he fell to the ground. Still the bird attacked him, and he died there.

Pito was really Tū-nui-o-te-ika. In the old days, in Māori times, Tū-nui-o-te-ika was a man-eating god that went about in broad daylight.

That is the end.

24 *The man who coveted his brother's wife*

T HE EVENTS IN this story are said to have taken place at the beautiful little bay at Marokopa, on the West Coast just south of Kāwhia. Hine-i-te-kakara, the woman over whom the two brothers fought, later 'bore Waihuka many children, who became renowned warriors, and from them descended the Ngāti Apakura tribe and many famous chiefs, including Te Wherowhero Pōtatau, the first Māori king'.

The story was first published in 1855. The writer is unknown.

Ko Wai-huka rāua ko Tū-te-amoamo

K A WHĀNAU NGĀ tāngata ra, ko te tuakana, ko te teina; kāhore he whaea, kāhore he iwi, kāhore he kāinga. Ko Wai-huka te teina, ko Tū-te-amoamo te tuakana.

Ka moe te teina i te wahine, i a Hine-i-te-kakara, he tino wahine pai — pai whakaharahara. Ka tūāhae te tuakana, ka mea, 'Riro rawa te wahine pai nei i taku teina. Me pēhea ra e riro ai i a au?'

Ka taka te whakaaro i te tuakana, ā, ka kitea e ia tētahi whakaaro tikanga mo tana teina. Mahara ana ia me haere ki te moana, ki te hī ika.

Ka karanga atu ki te teina, 'Hoake tāua ki te hī ika ma tāua.'

Ka whakaāe mai te teina. Ka hoe rāua ki te moana, ā, tawhiti noa, ka ngaro a uta; kīhai rāua i kite mai i te tuawhenua. Ko te teina i te ihu, ko te tuakana i te kei o tō rāua waka. Ka makaa te punga, ka tae ki ngā matika, ka takaia te māunu, ka whakahekea ki te moana ngā aho.

Ka hī rāua; roa noa, kotahi rau ika i mau i tētahi, kotahi rau i tētahi — he whāpuku ngā ngohi. Ka pangoro tō rāua waka, ka mahara rāua ki te hoki ki uta.

E takoto ana anō te whakaaro o te tuakana i roto i tōna ngākau mo tōna teina kia mate, kia wātea te wahine mōna. Ka karanga atu te tuakana ki te teina, 'Hutia te punga o tō tāua waka.'

Ka karanga mai te teina, 'E kore e taea e ahau — he punga nui.'

Ka kī mai te tuakana, 'Māu e huti.'

Ka kī atu anō te teina, 'E kore ra e taea.'

Ka mau ngā ringa o te teina, whakatangatanga noa; kīhai i riro ake te punga, ka mau tonu ki raro ki te moana. Ka karanga mai te teina, 'Kāhore e taea. Engari tīkina mai, māu e huti.'

Ka kī atu te tuakana, 'Engari rukuhia.'

Ka kī mai te teina, 'Māu e ruku.'

Ka tautotohe rāua ki a rāua, ka mea ma tētahi e ruku. Nāwai, ā, ka riro i te tuakana i tana tohe. Kātahi te teina ka rere ki roto ki te wai ki te ruku i tō rāua punga. Ka ruku ia ki roto ki te moana. No tōna ngaromanga ki roto ki ngā wai o te moana, ngaro atu i te tirohanga o te kanohi o te tuakana, ka rere mai te tuakana, tapahia ana te rāhiri; ka motu, ka whakaarahia te whakawhiti rā-whara.

Ka taea tawhiti e te waka o te tangata ra, ka puaki ake te teina i raro i te moana. Ka karanga atu te teina i roto i te moana, 'Hōmai ki a au te waka!'

Ka tae te tuakana ki ngā weruweru, ka karanga atu, 'Tōu waka na, ko ōu weruweru', ka tukua ērā ki te wai.

Ka karanga atu anō te teina, 'E hoa e, hōmai te waka ki a au!'

Ka mau ki ngā whāriki, ka karanga atu, 'Tō waka na', makaa atu ana ki te wai. Ka whiua takitahitia i konei ngā taonga o runga i te waka hei waka mo te teina: ko te aho, ko ngā taumanu, ko ngā kaiwae, ko te hoe, me te tatā.

Ka mānu noa iho te teina i roto i te wai, ka mahara ia me pēhea ra ia ka ora ai. Ka karakia ia ki ngā atua i konei, kātahi ka karanga, 'Te toroa e, kawea au ki uta!'

Kīhai i rongo tērā.

Ka karanga ake, 'Karoro e, kawea au ki uta!'

Kīhai i rongo.

'Te kawau e, kawea au ki uta!'

Kīhai i rongo mai.

Ngā manu katoa, kīhai i mahue i a ia te karanga kia kawea ia ki uta; ā, kīhai i rongo.

Ka karanga ia ki ngā ngohi o te moana, kīhai i rongo; ko te ika moana anake i rongo ki a ia. He tupuna ki a ia, he mōkaikai na Tinirau, te rangatira nui o te ao katoa.

I taua kupu kau, 'E te tohorā, kawea au ki uta', i namata kua rongo mai te tohorā, kua awhi atu ki tōna taha. Ka eke atu ia ki runga, ka kawea ki uta.

Ka hoe te tuakana, ka tae ki uta. Ka puta mai te wahine, kua ngaro te tāne. Ka pātai mai, 'Kei hea tōu teina?'

Ka kī atu te tangata ra, 'Kei runga kei ērā waka.'

Ka mahara te wahine ra, ē, kua mate; kua tae te pū-aroha ki a ia. Hoki ana te wahine ra ki te whare tangi ai.

No te ahiahi, ka haere atu te tangata ra ki te wahine, ka karanga atu, 'Hine-i-te-kakara, tōia te papa!'

Ka karanga atu te wahine ra, 'Waiho ra kia tangihia tētahi tangi mo tō teina. E roa anō ko te tau ki a koe, e Tū-te-amoamo!'

E keri ana te wahine ra i roto i te whare i tētahi putanga, ka tō ngā hope te oneone.

Muri iho ka karanga anō, 'Hine-i-te-kakara, tōia te papa!'

Ka mea ake anō te wahine ra, 'Waiho ra kia tangihia tētahi tangi mo tōu teina. E roa anō ko te tau ki a koe, e Tū-te-amoamo!'

Ko tō ngā kakī te oneone ki te wahine ra.

Muri iho ka karanga te tangata, kāhore i oho mai te reo. Wāhi rawa ake te tangata ra i te whare, aue, kāhore kau.

Ka puta te wahine ra, ka haere i te mutunga tai ki te haha haere i tōna hoa, kua mate kē ki tōna whakaaro. He rapu tērā i te tinana, i ngā wheua.

Ka kite te wahine ra i te toroa, ka karanga atu, 'Kāhore he popopopo mea e tātaka mai na?'

Ka mea atu e te toroa, 'Kāhore.'

Ka kite ia i te kawau, i te karoro, i te tini o ngā manu, i ngā ika katoa o te moana, ka karanga atu, 'Kāhore he popopopo rākau e tātaka mai na?'

Ka kī ake rātou, 'Kāhore mātou i kite.'

Ka kite ia i te tohorā, ka karanga atu anō i taua karanga āna. Ka karanga te tohorā, 'Tēnā kei uta.'

Ka haere atu te wahine ra ki te wāhi i tohungia mai, rokohanga atu e noho ana. Tika atu, ka tūohu, ka tangi.

Ka mutu te tangata ra rāua ko te wahine te tangi, ka mea a Wai-huka, 'Ka haere tāua ki te kāinga.'

Haere ana te tokorua ra, tae noa ki te whare, tangi puku ana rāua. Ka mutu te tangi, ka heru te tangata nei i a ia, tango mai te hou me te kahu kiwi; ka mau ki te hani, ka whakatū i roto i te whare. Whakatū nei, ā, ka kī atu ki te wahine, 'E pai ana taku rākau?'

Anō ko te wahine, 'E pai ana.'

Ka mahue te taiaha, ka mau ki te meremere, ka kī atu ki te wahine, 'E pai ana au?'

Anō ko te wahine, 'Whakarērea tēnā rākau āu.'

Ka mau i konei ki te kotiate, ka mea atu ki tāna wahine, 'Titiro mai. E pai ana au?'

Ka mea atu te wahine, 'Kāhore, e kino ana.'

Ka mau i konei ki te parāoa poto, ki te huata me te tini o te patu, ka mea atu ki te wahine, 'E pai ana taku hāpai?'

Anō ko te wahine, 'Kāhore, ka mate koe.'

Ka hokia i konei ki tāna māipi, i raro iho i te whenua te taiaha, ka wiri te rau. Ka kī ake a Hine-i-te-kakara, 'Kātahi anō koe ka tau! Kia pēnā ki tō tuakana āianei, ka hinga, ka mate.'

I te maruahiahi ka puta ake a Tū-te-amoamo, ā, ka karanga atu ki te wahine o tōna teina, 'Hine-i-te-kakara, tōia te papa, tōia te papa!'

Anō ko Hine-i-te-kakara, 'Tomo mai ra, e Tū-te-amoamo!'

Haere kau atu te tangata ra, ka reia mai e te teina. I namata, pororere te mātenga i te teina, takoto ana.

Na, ko te mutunga tēnei.

Wai-huka and Tū-te-amoamo

ONCE THERE WERE born two men, an elder and a younger brother, who had no mother, no kinsmen, and no home village. The younger brother was Wai-huka and the elder brother Tū-te-amoamo.

Then the younger brother married a woman, Hine-i-te-kakara. She was a most beautiful woman, very beautiful indeed, and the elder brother was envious. He thought, 'My young brother has this beautiful woman. How can I get her for myself?'

He turned this over in his mind for some time, and in the end he thought of a way of dealing with his younger brother. He decided they would go fishing out to sea. So he said to him, 'Let us go and catch ourselves some fish.'

His younger brother agreed to this. They paddled out to sea, so far out that after a while the shore was lost to sight and they could no longer see the mainland. The younger brother was at the prow of the canoe and the elder brother at the stern. They cast out the anchor, they took up the hooks and baited them, and they let the lines down into the sea. Then they fished.

After they had been doing this for a long time, each had a hundred fish — the fish were hāpuku. Their canoe was full, and they decided to return to land.

Now the elder brother still kept in his heart his plan to kill his younger brother so he could have the woman for himself. He called to him, 'Pull up the anchor of the canoe.'

The younger brother called back, 'I can't manage it, it's too big.'

The elder brother told him, 'You must pull it up.'

Again the younger brother said, 'I can't manage it.'

He took hold of the rope and he tried to free the anchor, but it stayed fast on the bed of the ocean and couldn't be shifted. He called, 'I can't move it — you come and pull it up.'

The elder brother said, 'No, you dive down and get it.'

His younger brother said, 'Dive yourself.'

Again the elder brother said, 'No, you dive.'

They kept on arguing like this, each saying the other must dive for it. In the end it was the elder brother who won the argument, and the younger brother jumped into the sea to dive for the anchor. He dived down, and as soon as he was lost to sight the elder brother quickly cut the rope and hoisted the sail.

When the canoe was a good distance away, the younger brother came up to the surface of the sea. He called, 'Bring the canoe to me!'

The elder brother took up his clothes, and calling, 'Here are your clothes — they can be your canoe', he flung them into the water.

Again his younger brother called, 'Friend, bring the canoe to me!'

But he took up the mats, and calling, 'Here is your canoe', he threw them into the water. Then one by one he threw the things in the boat into the water as a canoe for his younger brother: the lines, the thwarts, the decking, the paddle and the bailer.

And so the younger brother floated about in the water, wondering how he could save himself. He recited karakia to the spirits, then he called, 'Albatross, carry me to land!'

But the albatross paid no attention.

He called, 'Black-backed gull, carry me to land!'

But the gull paid no attention.

'Shag, carry me to land!'

But the shag paid no attention.

He called like this to all the birds, but none of them would listen to him. Then he called to the fish of the sea, but they would not listen to him. Only the right whale listened to his call. The right whale was an ancestor of his and a pet of Tinirau, the lord of all the world.

The moment that he called, 'Right whale, carry me to land', the right whale heard him and came to his side. He climbed on its back and it took him to the shore.

Meanwhile the elder brother paddled back to the shore. The woman came down, and she saw that her husband was not there. She asked, 'Where is your brother?'

He said, 'He's on one of those other canoes.'

She thought, 'Oh, he is dead!' — and she was overwhelmed with grief. She went back into the house to weep for him.

That evening the man went to the woman and called, 'Hine-i-te-kakara, open the door!'

The woman called, 'First let me finish weeping for your younger brother. There will be time enough for you, Tū-te-amoamo.'

Inside the house she was digging an escape route. The earth was up to her waist.

Later he called again, 'Hine-i-te-kakara, open the door!'

Again she answered, 'First let me finish weeping for your younger brother. There will be time enough for you, Tū-te-amoamo.'

By now the earth was up to the woman's neck.

Then afterwards the man called, and there was no answer. So he broke into the house, and he found — alas, she was gone!

When the woman came out of the house she went along the seashore looking for her husband, whom she thought was dead. She was searching for his body or his bones.

The right whale.

Presently she saw the albatross, and she called to him, 'Have you seen something lying heaped up over there?'

The albatross told her, 'No.'

She saw the shag, the black-backed gull, all the multitude of birds and all the fish of the sea, and she called to them, 'Have you seen a great heap lying over there?'

They said, 'We've seen nothing.'

Then she saw the right whale, and again she called that call of hers. The right whale called, 'He's there on the shore.'

The woman went to the place she had been shown, and she found him sitting there. She fell upon his neck and they wept together.

When the man and the woman had finished weeping, Wai-huka said, 'Let us go home.'

The two of them set off, and when at last they reached the house they wept together quietly. Then when they had finished weeping, the man combed and arranged his hair. He took up a plume and a kiwi-feather cloak, he grasped a taiaha, and he leapt about flourishing it within the house. As he brandished the taiaha he asked his wife, 'Is my weapon a good one?'

His wife said, 'Yes, it's good.'

Putting down the taiaha, he took up a mere and said to his wife, 'Is this good?'

She said, 'Don't use that weapon.'

Then he took up a kotiate and said to his wife, 'Look at me now, is this good?'

His wife said, 'No, it's bad.'

Then he took up a whalebone club, a spear, and every other kind of weapon, asking his wife, 'Am I well armed?'

And his wife said, 'No, you'll be killed.'

Then he went back to his taiaha. The blade quivered even as it touched the ground, and Hine-i-te-kakara said, 'Now you handle your weapon well! If you act like that when your brother comes, he'll fall before you.'

In the evening, Tū-te-amoamo appeared. He called to the wife of his younger brother, 'Hine-i-te-kakara, open the door, open the door!'

Hine-i-te-kakara said, 'Yes, come in, Tū-te-amoamo!'

The moment he entered, his younger brother leapt forward and struck his head from his shoulders — there he lay!

That is the end.

25   *Taha-rākau's sayings*

SEVERAL LEGENDS FROM different parts of the country tell of an encounter between two rangatira who, in the course of a visit, exchange questions and answers in a contest in which their mana is at stake. In this story, the winner, Taha-rākau, is an ancestor of the Rongowhakaata tribe in Tūranga (the Gisborne district). Tapuae, the man he visited and outwitted, lived at Te Rēinga, in the Wairoa district.

But first there was an exchange with the companion, Te Angiangi, with whom Taha-rākau travelled to Te Rēinga. Te Angiangi had put on his best clothes for the journey — the soft, voluminous tāniko cloaks known as aro-nui and paepae-roa — even though there was a long way to go, through hilly country. Taha-rākau, however, despite the fine weather, prudently wrapped up his best clothes and carried his rain capes as well.

When Te Angiangi scoffed at this, Taha-rākau answered with a cryptic remark to the effect that it's always likely to rain. This saying became proverbial. As well, people who were cautious about the weather, and careful to take rain capes (or later, raincoats), might be called 'he uri na Taha-rākau', Taha-rākau's descendants.

As the two men approached their destination, Taha-rākau challenged his ancestress Rangi-pōpō-i-runga, the rolling thunder in the sky above. His mana was such that she greeted his coming with her voice and her tears — and Te Angiangi, caught in the rain, learnt how unwise he had been.

Tapuae and his people, arrayed in fine garments and adorned with treasures, were waiting to greet them. Presently the guests were invited to enter a house, and they did so — though Taha-rākau, mindful that there could be mākutu (or witchcraft), cautiously examined the doorway before going in, and saw to it that Te Angiangi was the first to enter.

During the lavish meal that followed, Tapuae asked his guest a question. Indirectly, this question drew attention to the size of the feast which had been provided, and implied that Taha-rākau, as a high-ranking rangatira, should have travelled with an entourage rather than a single companion. Taha-rākau, however, calmly replied that he had his rain capes to protect him.

Tapuae then put to him a second question, again referring to the hospitality he was offering. But Taha-rākau was once more equal to the occasion. Asked about the foods available at his home, he declared that

the sweet pith of young cabbage trees, steamed in ovens, was a favourite delicacy by day, and that at night there were their women.

Greatly embarrassed by these witticisms, Tapuae made one last attempt to impress. Drawing attention to the ivory and greenstone which he wore, he asked Taha-rākau what he considered to be the mark of an aristocrat. And again he met his match. Taha-rākau, who had observed that there were no fortifications to protect Tapuae's grand house, spoke of the importance of a carved, gabled house, but added that a house standing in the open can be burnt by enemies.

Like Taha-rākau's other remarks, this saying has become proverbial.

Mohi Tūrei of Ngāti Porou, a famous orator and an authority on traditional history, wrote this version of the story in 1908, at the age of about 78.

Ko Taha-rākau

I HAERE ATU a Taha-rākau i Tūranga nei, rāua ko Te Angiangi. Ko te kāinga ka haere nei rāua ko Te Rēinga, kei Te Wairoa.

Ka kākahu a Te Angiangi i ōna kākahu pai, he aro-nui, he paepae-roa; ka tuhi i tōna tuhi matakura, ka mau ki tāna taiaha-ā-kura. Ka titiro atu ki a Taha-rākau e pōkai ana i tōna kākahu ki roto o te kaikaha tī; ka takaia ki roto o ngā tarahau e rua tuaririki nei, ka herea tahi pito, tahi pito, ka tākawetia.

Kātahi ka kī atu a Te Angiangi, 'E Taha, hei aha ēnā ka mauria na e koe i te rangi ātaahua, e whiti nei te ra?'

Ka whakahokia e Taha-rākau, 'E tata runga.'

Ka haere rāua. Engari, ki te whakaaro, kei te haere whakahāwea a Te Angiangi ki a Taha-rākau mo tōna āhua whakaiti i a ia.

Ka haere rāua, ka tata ki te kāinga, ki Te Rēinga, ka werohia tōna toko-toko ki a Rangi-pōpō-i-runga. Kīhai i roa, ka kī te waha o Rangi-pōpō ki te tangi iho ki a Taha-rākau, he whaitiri pao-rangi.

Ka tukua e Taha-rākau ōna tarahau, ka herea tētahi ki tōna tara-pakihiwi katau, tētahi ki tōna taha māui. Ko tōna kākahu, i takaia ra ki te kaikaha tī. Tērā tētahi, ko ōna pare — he kāhu tētahi, he kārearea tētahi. Ka hunaa e ia tōna kākahu me ōna pare ki roto i tōna kēkē māui; ko tōna tokotoko ki tōna ringa matau.

Kātahi ka tukua iho ngā roimata o Rangi-pōpō. Kīhai i ārikarika te ua, me te whiti tonu te rā. Kīhai i roa, ka mākū katoa a Te Angiangi. Kua rere katoa te wai i roto i a ia, kua whati te rau o tōna pare huia, kua mā tōna tuhi mārei-kura, kua kino te kura o te taiaha me te awe.

Kātahi ia ka kī atu, 'E Taha e, hōmai ki a au tētahi o ōu tarahau. Ka hauaitu au.'

Ka whakahokia e Taha-rākau, 'Ehehe, i kīia atu ra hoki, "E tata runga"!'

Kīhai i roa kua mao te ua, me te whiti tonu te rā. Kua mōhio mai a Tapuae, me tōna wahine rangatira, mana nui kē atu i a ia, me te iwi e noho mai ra, 'Ei, tēnei tata a Taha-rākau, ina hoki te whaitiri pao-rangi, me ngā roimata o tōna tipuna, o Rangi-pōpō-i-runga, e tangi nei ki a ia.'

Kei te rākai a Tapuae me te iwi. Kīhai i roa, ka puta a Taha-rākau me te hoa.

Kua whakahāwea a Tapuae — arā hoki, kia nui te tira, kia tokomaha te tāngata, kia maru ai te rangatira ki te haere. Tētahi, ko ngā kākahu o Taha-rākau he tarahau, he tokotoko rākau noa i te ringa. Ko ngā tohu tērā i titiro whakahāwea mai ai a Tapuae.

Ko Taha-rākau ia, kei te titiro atu ki te pai o te whare, ki ngā maihi, ki te nui o te whare kāore he pā; e tū noa ana, he mahinga kai kei ngā taha o te whare.

Te taenga atu, ka tū rāua i te taha o te mataaho i waho. Ka unuhia ōna tarahau, ka kākahuria tōna kākahu, ka horoia tōna kanohi ki te kaikaha tī ra, ka tiaina ōna pare, ka ruia te wai o ōna tarahau, ka pōkaia — me te kaikaha tī ra anō ki roto. Ka mauria anō e ia, ka tae ki te paepae tōanga o te tatau, ka tukua iho e ia ōna tarahau me tōna tokotoko, ka tūturi ngā pona, ka mātakitaki atu.

Ka rawe te iwi rangatira e noho ra, ka oti te whakakākahu ki ngā kākahu rangatira, he au rei katoa te here o ngā kākahu. Ko Tapuae, he paepae-roa, ko te māhiti ki waho. Kitea te nui o te au rei, o te kuru pounamu ki runga ki te pakihiwi o Tapuae, te here o ngā kākahu, o te māhiti; me te wahine a Tapuae — he wahine rangatira hoki — he kākahu kiwi te kākahu, me ngā kōtore huia te rākai ki tahi taha, ki tahi taha o te māhuna, ko te tiki ki te poho, ko ngā tautau tongarerewa ki tahi paki-hiwi, ki tahi.

Ka mihi mai a Tapuae me te tokomaha, ka pōhiri mai ki a rāua. Ka whakatika a Taha-rākau, ka mau ki ōna tarahau, ki tōna tokotoko, ka kī ki te hoa kia tomo — no muri ia.

Ka tau rāua ki te wāhi i whakaritea mo rāua. Ka kite iho ia i te urunga mōna, ka utaina iho e ia ōna tarahau me tōna tokotoko ki runga, ka noho ia; ka meatia e ia hei pae mōna te urunga ra me ōna tarahau, kua pai tōna noho. Ko Te Angiangi, kei te noho kōpiri, hūiki i te mākū o ōna kākahu.

Kīhai i roa, ka puta te kai. Anā, kīhai i ārikarika. Ka mahi te iwi ran-gatira ki te taka i te kai, he huahua — he manu, he kiore — he piharau, he tuna, he manu patu hōu, he taro, he kūmara, me ērā atu tini o te kai.

Ka titiro a Tapuae ki te nui o tāna kai, ka rere tāna pātai tuatahi ki a Taha-rākau, 'E Taha, hua atu nei, kia nui te tira kia tau ai?'

Ka whakahokia e Taha-rākau, 'E nui tira, e awhea mai ki aku pūreke tarahau.'

Me te tohu iho anō tōna ringa ki ōna tarahau.

Ka whakaaro a Tapuae ka raru ia i te whakahoki a Taha-rākau, ka pātaia anō e Tapuae tāna pātai tuarua. 'E Taha, he aha anake ngā kai o Tūranga?'

Ka whakahokia e Taha-rākau, 'He ahi kōuka i te ao, he [ai] wāhine i te pō.'

Kātahi a Tapuae ka mahara kua raru ia i a Taha-rākau, i te utu o āna pātai. Kātahi ka kai katoa, ka mutu te kai. Ko te nuinga ia o te kai, tū tonu.

Kātahi a Tapuae ka rui i ngā au rei me ngā kuru pounamu whītiki i ōna kākahu, ka pātaitia tāna pātai tuatoru. 'Taha-rākau, he aha [te] tohu o te tangata rangatira?'

Ka whakahokia e Taha-rākau, 'He whare maihi tū ki roto ki te pā tūwatawata, he tohu no te rangatira. Whare maihi tū ki te wā ki te paenga, he kai na te ahi.'

He whakahāwea mo Taha-rākau ngā pātai e toru a Tapuae, he whakanui kau mōna. Kei ngā whakahoki a Taha-rākau, ka iti a Tapuae.

Taha-rākau

TAHA-RĀKAU ONCE SET out from Tūranga, together with Te Angiangi. The place they were going to was Te Rēinga, at Te Wairoa.

Te Angiangi put on his best robes, an aro-nui cloak and a paepae-roa, and he painted his face with red ochre and took up his taiaha with its red feathers. Then he watched as Taha-rākau rolled up his robe inside a wrapper of cabbage-tree fibre, enclosed this in two quite small rain capes, then tied his bundle at each end and slung it over his shoulder.

So then Te Angiangi said to him, 'Taha, why are you taking those things with you on this fine day, with the sun shining?'

Taha-rākau replied, 'What's above will come close.'

They set out. But we can assume that as Te Angiangi went along he was despising Taha-rākau for making himself look insignificant.

They went on. Then when they were close to this place, Te Rēinga, Taha-rākau challenged Rangi-pōpō-i-runga with his staff. And before long Rangi-pōpō's mouth spoke, calling down to Taha-rākau in resounding thunder.

Then Taha-rākau unfastened his rain capes and tied one over his right shoulder, and the other over his left side. His robe was still inside the cabbage-tree wrapper, and as well he had his plumes, a hawk feather and a falcon feather. He hid his robe and his plumes under his left arm, and in his right hand he held his staff.

So then Rangipōpō let her tears fall down. The rain fell heavily, though the sun was still shining. Before long Te Angiangi was wet through. The water had soaked him to the skin, the plume of his huia headdress was broken, his painted red-ochre patterns were washed away, and the red feathers and dogs' hair on his taiaha were bedraggled.

So then he said, 'Taha, give me one of your capes, I'm bitterly cold.'

144

Taha-rākau replied, 'Ha ha, didn't I say to you, "What's above will come close"?'

The rain stopped before long, and the sun shone brightly. And Tapuae, with his aristocratic wife (who was more important than he was), and the people living there, recognised his presence: 'Ah, Taha-rākau is close at hand, you can tell by the resounding thunder, and the tears of his ancestress Rangi-pōpō-i-runga as she greets him.'

Tapuae and his people were adorning their hair. And before long Taha-rākau and his companion appeared.

Tapuae looked disdainful — because there should be a great company, a throng of men, to protect a rangatira when he goes on a journey. Also, Taha-rākau was wearing rain capes, and he had an ordinary wooden staff in his hand. These things made Tapuae look at him disdainfully.

As for Taha-rākau, he was looking at the splendour of the house, with its gable boards, and seeing that this great house had no pā. It was just standing there with cultivations going right up to its walls.

When they reached it, they stood outside by the window. Then Taha-rākau took off his rain capes and put on his robe. He wiped his face with the cabbage-tree wrapper, he put his plumes in his hair, and he shook the water from his rain capes and rolled them up, with the cabbage-tree wrapper inside.

Then he took them, and he went to the sill where the door was pulled along. Putting down his rain capes and his staff, he squatted down and looked at it carefully.

The high-ranking people who were sitting there were a splendid sight, all robed in aristocratic garments and with cloak pins all of ivory. Tapuae was wearing a paepae-roa cloak with a dogs'-tail cape over it, and on his shoulders there was to be seen an abundance of ivory pins and greenstone toggles, fastenings for his robe and his dogs'-tail cape. And his wife, being an aristocratic woman, was wearing a kiwi-feather cloak, and there were huia tail-feathers adorning both sides of her head. There was a tiki on her breast, and pendants of translucent greenstone on both her shoulders.

Tapuae and his company greeted them, and waved a welcome. And Taha-rākau rose up, took his rain capes and his staff, and told his companion to enter — he said that he would follow.

They settled down in the place which had been made ready for them. When Taha-rākau saw the headrest there for him, he placed his rain capes and his staff upon it and he sat down; he'd turned the headrest and his rain capes into a seat, so he sat there comfortably. As for Te Angiangi, he crouched shivering in his wet robes.

It wasn't long before the food appeared. There was certainly no shortage!

These well-bred people had laboured to prepare food — potted game, birds and rats, and also lampreys, eels, freshly killed birds, taro, kūmara, and many other kinds of food.

Tapuae looked at the abundance of food he had provided, and he addressed his first question to Taha-rākau. 'Taha, I would have thought a large travelling party would be appropriate?'

Taha-rākau replied, 'There's a large enough company when I'm surrounded by my heavy rain capes.'

And he gestured towards his rain capes.

Tapuae felt himself put down by Taha-rākau's reply. Then he asked his second question. 'Taha, what are the special foods in Tūranga?'

Taha-rākau replied, 'Cabbage-tree ovens by day, and making love to women at night.'

Then Tapuae realised he had been put down by Taha-rākau in his answers to his questions.

So then they all ate. But when they had finished eating, most of the food was still piled up there.

Then Tapuae shook the ivory pins and greenstone toggles which fastened his garments, and he asked his third question. 'Taha-rākau, what is the mark of an aristocrat?'

Taha-rākau replied, 'A gabled house that stands within a palisaded pā is the mark of an aristocrat. A gabled house that stands alongside cultivations is food for fire.'

Tapuae's three questions were intended to humiliate Taha-rākau and increase his own reputation. But because of Taha-rākau's replies, Tapuae was diminished.

26 *The siege of Whakarewa*

IN ABOUT 1750 the Whakarewa pā, in the territory of the Taranaki tribe, was besieged by a war-party from the neighbouring tribe of Ngāti Awa (or Te Āti Awa). At this time Whakarewa was under the leadership of a rangatira named Rangi-rā-runga. The invaders were led by Taka-rangi, a great warrior who was the son of Te Rangi-āpiti-rua, the rangatira of the Puke-ariki pā some 25 kilometres to the north-east.

This famous story tells how this siege finally came to an end. The marriage of Taka-rangi and Rau-mahora led to peace in their time, and provided an important genealogical link between their two tribes. It was not uncommon for peace to be made through a marriage of this kind, especially when the persons concerned were related, as they probably were in this case.

It was usual, too, for rangatira in battle to employ formal, rhetorical language such as that used on this occasion. The images which these rangatira employ are traditional. Warfare was often likened to rough seas; in this case, the waves are those which break upon one particular reef. And when Taka-rangi declares that no dog will bite his arm, the meaning is that none of his inferiors will dare to defy him.

The story was written by an unknown author some time before 1854.

Ko Taka-rangi rāua ko Rau-mahora

KO RANGI-RĀ-RUNGA HE rangatira no Taranaki; ko Whakarewa, he pā nui tēnā pā, he maioro nunui ngā maioro. Nāna tētehi tamāhine pai rawa, ko Rau-mahora tōna ingoa; he wahine rongo nui ia.

Kua tae tōna rongo ki te nuinga atu o te whenua. Kua tae hoki tōna rongo ki a Te Rangi-āpiti-rua — ko Puke-ariki tōna pā, he rangatira ia no Ngāti Awa; ko tana tama ko Taka-rangi, he toa ia. Kua rongo hoki ia i te hūmāriretanga o Rau-mahora, ā, wawata tonu iho ia ki a ia.

I aua rā o mua, ka tupu he whawhai na Te Rangi-āpiti-rua, na te matua hoki o Rau-mahora. Ka haere te taua a Ngāti Awa ki Taranaki ki te tau i te pā o taua tangata; ka whakapaea taua pā nei e te taua i te pō, i te ao, ā,

kīhai i taea. Ka tohe tonu te taua ki te whawhai ki ngā tāngata o roto i
taua pā, ka mate rātou i te kai-kore, i te wai-kore.

Ka tū te rangatira o te pā ki runga ki te taiepa o te pā, ka karanga ki
ngā tāngata o te taua, 'Hōmai he wai mōku!'

Ka whakaāe rātou, ka kawea e tētahi tangata o te taua. Ka kite tētahi
tangata o te taua, wāhia ana ki runga ki ngā ringaringa o taua tangata, ā,
kīhai i puta he wai mo te koroheke . Pēnā tonu ngā tāngata o te taua.

Ka tū te rangatira o te pā ki runga ki te maioro, ka kite ia i te rangatira
o te taua — he tohu anō i te māhunga o taua tangata, he heru iwi, he piki
— he kōtuku — he tohu no te rangatira. Ka puta iho te kupu a te
rangatira o te pā. 'Ko wai koe?'

Ka kī ake ia, 'Ko au tēnei, ko Taka-rangi!'

Ka mea atu te rangatira o te pā ki a ia, 'E horo rānei i a koe te tau o
Ōrongomai-takupe?'

Ka mea ake ia, 'E horo! Tōku ringa tē ngaua e te kurī!'

No te mea ka mahara a Taka-rangi, 'Ko te matua tērā o Rau-mahora, o
te kōtiro pai rawa nei. Ka aroha au, ka mate te kōtiro i te wai-kore.'

*Among the
descendants of
Taka-rangi and
Rau-mahora was
Te Puni, a leading
rangatira of Te Āti
Awa, who was
living in Wellington
when this story was
written.*

148

Ka whakatika ia ki te kawe wai mo taua tangata rāua ko tana tamāhine, ka utuhia te ipu wai — ko te ingoa o te puna ko Ōringi, e koropupū ake ana i te whenua. Kīhai hoki i aha atu te nui[nga], no te mea kua māhaki noa iho te tūātea o te moana i te wehi o tēnei rangatira. Ka tangohia e Taka-rangi, ka hoatu mo taua tangata.

Ka puta te kupu a Taka-rangi ki a ia. 'Na, kua kī atu au ki a koe, ko tōku ringa anō tēnei e kore e ngaua e te kurī. Ko te wai tēnei mōu, mo te kōtiro hoki.'

Ka inu rāua, ka titiro atu a Taka-rangi ki te kōtiro, ka titiro mai te kōtiro ki a Taka-rangi; ka roa rawa tō rāua tirohanga.

Ka titiro atu n[g]ā tāngata o te ope a Taka-rangi, e noho tahi ana ia i te taha o te wahine ra. Ka mea rātou ki a rātou anō, 'E hoa mā, nui atu te hiahia o Taka-rangi ki a Rau-mahora i te hiahia ki te riri!'

Ka puta te whakaaro o te ngākau o te matua o Rau-mahora, ka mea atu ki tāna kōtiro, 'E hine, e kore rānei koe e pai ki tēnei tangata hei hoa mōu?'

Ka mea mai te kōtiro, 'E pai ana.'

Ka whakaāe hoki te matua kia hoatu tāna tamāhine kia moea e Taka-rangi, ka moe i a ia. No reira i whakamutua ai te whawhai, ka whatia hoki te taua kia hoki ki ō rātou kāinga. Ā, kīhai i hoki mai ki te whawhai; ka whakamutua rawatia.

Ko ngā uri o tēnei wahine, koia anō ēnei e noho nei, ko Te Puni, ko Porutu, me ō rātou tamariki hoki.

Taka-rangi and Rau-mahora

RANGI-RA-RUNGA WAS A rangatira of the Taranaki tribe. His pā, Whakarewa, was a large pā with massive earthworks. And he had a most beautiful daughter, Rau-mahora, a very famous woman.

Her fame had spread to all parts of the land, and it had reached Te Rangi-āpiti-rua, a rangatira of Ngāti Awa tribe whose pā was Puke-ariki. This man's son, Taka-rangi, was a valiant warrior. He had also heard of Rau-mahora's great beauty, and he kept thinking and dreaming about her.

Then, in those days long ago, hostilities arose between Te Rangi-āpiti-rua and Rau-mahora's father. A Ngāti Awa army set out for Taranaki to attack that man's pā, and they besieged it night and day. For a long time they did this. The army couldn't take the pā, but they kept on attacking the people inside, and the people were suffering greatly from hunger and thirst.

Then the rangatira of the pā stood up on the palisades and called to some of the warriors, 'Give me some water!'

They agreed to do so, and one of them went to take him some water. But when another warrior saw him, he broke the calabash in the man's hands and no water reached the old man. And the warriors kept on doing this.

The rangatira of the pā stood up on the ramparts, and he recognised the rangatira of the army — because this man bore emblems on his head, emblems of rank: a whalebone comb and a white-heron plume. And the voice of the rangatira of the pā came forth from above. 'Who are you?'

He spoke back up to him. 'It's me, Taka-rangi!'

The rangatira of the pā asked, 'Are you able to still the waves on the Ōrongomai-takupe rocks?'

He told him, 'Yes, I can still them. My hand isn't bitten by any dog!'

Because Taka-rangi was thinking, 'That man is the father of Rau-mahora, that beautiful girl. I'm sorry for them, the girl is suffering from thirst.'

He stood up, and he went to take some water to the man and his daughter. He dipped in his calabash — Ōringi is the name of the spring that bubbles up from the earth there. And none of those warriors did anything at all, because the crests of the waves of the ocean had been calmed through fear of this rangatira.

Taka-rangi took the water and gave it to the man. And his words went forth. 'Didn't I tell you that this is my arm, which no dog will bite. Here is the water for you, and for the girl.'

The two of them drank — and Taka-rangi gazed at the girl, and she at him. For a long time they gazed at each other.

The men in Taka-rangi's army saw him sitting by the girl, alongside her, and they said to each other, 'Friends, Taka-rangi wants Rau-mahora more than he wants war!'

Then Rau-mahora's father expressed his heart's desire. He said to his daughter, 'Girl, wouldn't you be willing to have this man as your husband?'

His daughter told him, 'I am willing.'

Then the father agreed that his daughter should marry Taka-rangi, and she did marry him. And because of this the fighting stopped, and the warriors turned away and returned to their homes. They never came back to fight. The fighting ended forever.

As for this woman's descendants, they are these people who are living now: Te Puni, Porutu, and their children.

27 Te Huhuti's swim to her lover

I N SEVERAL MYTHS and legends a young woman runs away from her tribe to find and marry the man she loves. The best known of these stories concerns Hine-moa, who swam Lake Rotorua to reach Mokoia Island, where her lover was living. A similar story is set in Heretaunga (Hawke's Bay).

Roto-a-Tara was formerly a lake in southern Heretaunga, near Pukehou (it has now been drained). Near the end of the seventeenth century, a young rangatira of Ngāti Kahungunu named Te Whatu-i-āpiti was living in a pā on an island in this lake. While visiting a pā some distance away he met Te Huhuti, the daughter of the rangatira there, and the two of them fell in love.

When Te Whatu-i-āpiti was about to return home, he told Te Huhuti to follow him to Te Roto-a-Tara. She did so, and after two days she reached Te Roto-a-Tara.

In the version of the story published here, Te Huhuti swims the lake, is found by Te Whatu-i-āpiti's mother and at first will not speak to her. In another version, her refusal to speak comes later, when the mother — angry because of her son's marriage — abuses her publicly. Te Huhuti does not answer this attack, and the mother addresses her as Hine-teko, Girl-like-a-carved-image (since carved figures were proverbially speechless) and Hine-hore, Empty-headed-girl. Afterwards there is a reconciliation.

In the story told here, the storyteller quotes some lines from a song which recall the mother's abuse. This song was originally addressed to another, unknown girl who, in the same way, had risked all for love. Because of this, the poet identifies this girl with her ancestress, Te Huhuti. In seeking out her lover, Te Huhuti had set the pattern for her descendants.

The storyteller ends by speaking of the qualities which Te Huhuti, like other girls, had looked for in a husband. The name Tahu personifies peace and the virtues appropriate to peace, while Tū personifies the qualities necessary in times of war.

The writer is unknown. The story was published in 1854.

Ko Te Huhuti

NA, KO TĒNEI wahine, ko Te Huhuti, i pērā tahi anō ia me Hine-moa. Ko Hine-moa, nāna i kau te roto o Rotorua. Na, ko Te Huhuti, nāna i kautāhoe te roto o Te Roto-a-Tara.

No Ngāti Kahungunu tēnei wahine, a Te Huhuti, te tupuna wahine o Te Hāpuku. Te tikanga i kautāhoetia ai e ia te roto o Te Roto-a-Tara, he kawenga na te hūmāriretanga o Te Whatu-i-āpiti. No konei i kautāhoetia ai e ia taua moana; no reira kīhai ia i tāwhitāwhi kia whakaaroaro rānei, kia aha rānei. Kao, ko tana whakaaro i pēnei na. Ahakoa nui te moana, me aha? Engari me whakamātau! Ā, māna ka totohu, he aha koā? Ā, māna e ū, e pai ana!

Na, titiro ra, e hoa mā, ki te whakaaro o tēnei wahine! Kīhai hoki i tāwhitāwhi tōna whakaaro, no te mea kua whakaarorangi noa ake tōna ngākau ki te ātaahuatanga o Te Whatu-i-āpiti, te kuku o tōna manawa.

Na, ka kau ia, ā, ka ū ki te kāinga o Te Whatu-i-āpiti. E ū kau atu ana anō ia, inamata, kua kitea ia e te whaea o Te Whatu-i-āpiti. Na, oho whakarere taua rūruhi, kātahi ia ka titiro atu ki a Te Huhuti. Ānō te kiri me he pari tea, ko te tūranga mai ki uta o te wai!

Ka haere atu ki te kuia ra; te ahunga atu, heoi ra, ka titiro atu te rūruhi ra ki te ātaahua mai o te wahine raka. Ananā, me he haeata e toea ana i te taha-ā-rangi, koia ia ko te rite o Tuawahine!

Ā, no ka whakatata mai ki te kuia raka, ka whakataukī atu taua rūruhi ki a Te Huhuti, 'E, etia tonu tōu hūmārire, me ngā pari teko nei! Āe, me he haeata e toea ana i te taha-ā-rangi ko tōu pai!'

Kīhai hoki i hamumu a Tuawahine.

Kātahi ka ui atu te kuia raka ki a ia, 'E hika, ko hea koe?'

Otirā ko Tuawahine kīhai hoki i hamumu.

Me i reira ka ui atu anō te rūruhi ra ki a ia; kīhai rawa ia i kī atu ki a ia.

I reira, ka hāmama te waha o te kuia raka ki te kī atu ki a ia, 'Taikiri, taikiri! Kāore rawa koe e kī mai ki ahau?'

I reira, tata, kātahi ra anō ka hamumu atu te māngai o Tuawahine ki te kuia raka. Ka mea atu ia, 'Kei whea koia te kāinga o Te Whatu-i-āpiti?'

Ka mea atu te kuia raka, 'Tēnei ra tō māua nei kāinga. Haere mai tāua ki reira.'

Ka mau te kuia raka ki tōna ringa, [ka] haere rāua. Ā, ka tae ki te whare o Te Whatu-i-āpiti, ka rongo te tangata ra. Inamata, kua maranga ki runga, kua titiro atu ki te wahine ra, ka mihi atu ia ki te wahine ra: me pēhea hoki koā ūā ana? Ka koa ra, ka kite atu hoki i te whakahiangongo a tōna ngākau; me Tuawahine hoki ka koa, ka tae atu ia ki a Te Whatu-i-āpiti, te kaitokomauri o tōna puku.

152

Ehara, moe ana rāua nei, ā, tupu noa ō rāua uri. Ā, moroki noa nei, ma-
hara tonu rātou ki ngā whanonga a tō rātou tupuna wahine, a Te Huhuti,
i tana kauanga i te moana o Te Roto-a-Tara. No reira te kupu o tēnei
waiata:

Na Te Huhuti nāu i kau mai.
Ko Hine-teko i Te Roto-a-Tara,
Ā, ea ake ana, ko Hine-hore ko koe!

Titiro, e kore e wareware i ōna uri ngā ritenga pai a tō rātou nei
tupuna. Na, ko te tikanga o Te Huhuti i pai ai ki a Te Whatu-i-āpiti, he
pai no Te Whatu-i-āpiti. Otirā, ko ngā painga o Te Whatu-i-āpiti, e rua.
Ko tētahi painga ōna, ko Tahu; ko tētahi, ko Tū. Koia tērā te tikanga i pai
ai ia kia moe ia i a Te Whatu-i-āpiti. No reira te tikanga i kauhoetia ai e
ia te roto o Te Roto-ā-Tara, i whakaaro ia kia moe ia i a Te Whatu-i-āpiti
hei tāne pai māna: kia rua ai ngā painga ki a ia, ko Tahu, ko Tū. No te
mea ko Tahu mo te rangi mārire, ko Tū mo te matawhāura, mo ngā
ritenga o waho. Ko te mea ia i tino hōkaka ai ia k[i]a haere ia ki a Te
Whatu-i-āpiti hei hoa mōna.

Te Huhuti

NOW THIS WOMAN, Te Huhuti, was just like Hinemoa. Hinemoa
was the one who swam Lake Rotorua. Now as for Te Huhuti, she
was the one who swam across Lake Roto-ā-Tara. This woman, Te Huhuti,
belonged to Ngāti Kahungunu. She is an ancestress of Te Hāpuku.

The reason she swam across Lake Roto-ā-Tara is that she was attracted
by Te Whatu-i-āpiti's good looks. That was why she swam that stretch of
water; because of this, she didn't stop to think, or for any other reason.
No, her thoughts were like this. The lake was wide, but what of that? Let
her but try. If she sank, what would it matter? And if she came to land, so
much the better!

Now see, friends, how this woman thought. She didn't hesitate to carry
out her plan, because her mind and her emotions were fully intent upon
the beauty of Te Whatu-i-āpiti — the pincers of her heart.

Now she entered the water, and at last she came ashore at Te Whatu-i-
āpiti's village. Just as she was landing, straightaway, she was found by Te
Whatu-i-āpiti's mother. Now the old lady got a great shock. Then she

Te Hāpuku, a
leading rangatira of
Ngāti Kahungunu,
is named by the
storyteller as being
a descendant of
Te Huhuti and
Te Whatu-i-āpiti.

looked over at Te Huhuti. How like her body was to a pale cliff, as she
stood there at the water's edge!

She went towards the old woman, and as she approached, well, the old
lady saw how beautiful she was. What a sight to behold! Like the dawn
coming up over the horizon, that was the appearance of our heroine.

And when she was close to the old woman, that old lady exclaimed,
'Oh, your beauty is like a rocky cliff. Yes, your beauty is like the dawn
coming up over the horizon!'

Our heroine didn't make a sound.

So then the old woman asked, 'Girl, where are you going?'

But still our heroine didn't make a sound.

Then the old lady questioned her again. But she made no answer at all.

At that, the old woman said to her, 'What, what, so you won't say any-
thing at all to me?'

Then suddenly our heroine's mouth did speak. She said, 'Tell me,
where is Te Whatu-i-āpiti's village?'

The old woman said, 'Our village is quite close. Let us go there.'

The old woman took her hand and they set off. And when they

154

reached Te Whatu-i-āpiti's house he heard them, and he leapt up at once. He gazed at the woman, and he greeted her — and indeed, what else would he do? He rejoiced, because he had found his heart's delight, and our heroine rejoiced as well, because she had reached Te Whatu-i-āpiti, the object of her affections.

Behold, they married, and they had many descendants. And right down to the present time, these descendants have remembered the way their ancestress Te Huhuti swam the waters of Te Roto-ā-Tara. That is the reason for the words of this song:

> Because of Te Huhuti you swam here.
> There was Hine-teko in Te Roto-ā-Tara,
> And rising up, you were Hine-hore.

You see, her descendants will never forget how well their ancestress behaved. Now the reason Te Huhuti approved of Te Whatu-i-āpiti was that he was possessed of good qualities. And there were two of these good qualities; one was Tahu, and the other was Tū. That was why she approved of Te Whatu-i-āpiti and wanted to marry him. For this reason she swam the waters of Te Roto-ā-Tara and decided to marry Te Whatu-i-āpiti, getting him as a good husband for herself. It was so that she would have two fine things, Tahu and Tū — because Tahu would be for times of peace, and Tū for 'fierce faces', for outside events. That was why she yearned so much to make her way to Te Whatu-i-āpiti and have him as her husband.

28   *The young wife*

T HESE EVENTS OCCURRED, it is thought, in southern Heretaunga (Hawke's Bay) in the early sixteenth century. Te Ao-huruhuru was a young woman of Ngāi Tara, a tribe which no longer exists as a separate entity. She was happily married to a man named Takaro-upoko and she had a daughter, Te Umu-tahi. But an old man who lived at Pā-māramarama, at the mouth of the Mataikona River, took her by force from her husband and made her his slave wife. Then he shamed her deeply by allowing other men to see her naked.

Suicide as a last, desperate means of redress was not uncommon in traditional Māori society, especially perhaps among women, who usually had fewer choices open to them than men. In taking her own life Te Ao-huruhuru was letting the people responsible for her shame know, with terrible finality, that although she had been enslaved her sense of honour was that of a free woman.

A woman who had made up her mind to jump to her death would sometimes compose a song about the abuse she had suffered. She would choose a time when her people were present and she would sing her song publicly, dressed in her best clothes, before making her fatal protest. Te Ao-huruhuru's song and her story passed down in tradition, as she must have known they would, and they are remembered now more than four centuries later. The rock from which she jumped is a sharp pinnacle on the coastline about two and a half kilometres south of the mouth of the Mataikona River. In the 1890s, perhaps later as well, this rock was tapu.

An unknown person who lived in the region wrote this account in the middle years of the nineteenth century. In the last paragraph he uses a traditional metaphor in speaking of the woman as a canoe.

Ko Te Ao-huruhuru

NA, KO PĀ-MĀRAMARAMA te ingoa o te pā o te hoa o Te Ao-huruhuru. He koroheke te tangata nei, ko tāna wahine he tūtūā, he mea tango mai e ia i te tangata i arohatia nuitia e tēnei wahine. Ko te take i tangohia ai e ia te wahine nei, he pai, he ātaahua, he wahine mo-moho ki te mahi. Ko te mahi he taka kai, he whatu weruweru mo te koro-heke nei. Otirā ko tōna noho, e noho pononga ana ki tēnei koroheke. Otirā, ko tōna aroha pea e mau tonu ana ki te tangata i arohatia nuitia e ia.

Ā, roa rawa tōna nohoanga ki tēnei koroheke, ā, muri iho ka tahuri taua koroheke ki te hakirara i a ia. Ko te tikanga tēnei o tana haki-raratanga i a ia. No tō rāua moenga i te pō, roa rawa rāua e moe ana, ka maranga taua koroheke ki runga, ka titiro ki tāna wahine tamāhine, kua warea e te moe. Ko ōna pakikau kua pahuhu kē ki raro, i te kowhanga-nga a ngā ringaringa, a ngā waewae, i te āinga a te āhuru. Kātahi ka tahuna e ia te ahi; ka kā te ahi, ka tirohia e ia ngā pakikau, ka takoto kau ia.

This portrait of a woman was carved in the region to which Te Ao-huruhuru belonged.

Kātahi ka mahara te koroheke ra ki te nuinga o tōna pai. Kōwatawata ana ngā uru māwhatu i te hana o te ahi; ko tōna tinana, ngangana ana; ko tōna kiri, karengo kau ana; ko te kanohi, ānō he rangi raumati paruhi kau ana; ko te uma o te kōtiro e ka whakaea, ānō he hone moana āio i te waru, e ūkura ana hoki i te tōanga o te rā — ka rite ki te kiri o Tuawahine.

Taro rawa te tirohanga o taua koroheke ki te pai o tāna wahine tamāhine, muri iho ka whakaarahia e ia ōna hoa koroheke o roto i te whare ki te mātakitaki ki te ātaahuatanga o tāna wahine. I a rātou e mātakitaki ana i a ia, kātahi anō ia ka oho. Oho rawa ake ia, ko ia e mātakitakina ana e te tini koroheke o roto i te whare ra.

Heoti anō, ka maranga te wahine ki runga, ka mate i te whakamā. Heoti anō, ko te rangi i pai ra kua tāmarutia e te pōkē-ao; ko te uma, kakapa ana, ānō e rū ana te whenua. Ka tīnia ia e te whakamā. Kātahi ka rarahu ngā ringa ki ngā pakikau, ki te uhi i a ia. Kātahi ka rere ki te kokinga o te whare, ka tangi. Tangi tonu, ā, ao noa te rā.

Awatea kau ana, ka haere te koroheke ra rātou ko ngā hoa, ka eke ki runga i te waka, ka hoe ki waho ki te moana ki te hī. Ā, i muri o te koroheke ra rātou ko ngā hoa kua riro, kātahi te wahine nei ka whakaaro ki te hē o tāna tāne ki a ia, kātahi ka mahara kia haere ia ki te whakamomori. Na, tērā tētahi toka teitei e tū ana i te tahatika; ko te ingoa o tēnei toka i nāianei, ko Te Rerenga-o-Te-Ao-huruhuru.

Kātahi te tamāhine ka tahuri ki te tātai i a ia. Na, ka heru i a ia, na, ka rākei i a ia ki ōna kaitaka, ka tia hoki i tōna māhunga ki te raukura — ko ngā raukura he hūia, he kōtuku, he toroa; ka oti. Kātahi anō te tamāhine ka whakatika. Na, ka haere, ka piki, ā, ka eke ki runga o te toka teitei, ka noho. Kātahi anō ka kohuki te whakaaro o te tamāhine ki te tito waiata māna.

Ka rite ngā kupu o taua waiata, ko te tāne rātou ko ngā hoa kei te hoe mai ana ki uta. Ka tata mai te waka o te tāne ki te taketake o te toka e noho ra te tamāhine i runga, ko te koroheke nei kua pāwera noa ake te ngākau ki te purotutanga o tāna wahine taitamariki. Kātahi rātou ka whakaaro ki te wahine ra e waiata ana i tāna waiata. Ka rongo rātou ki ngā kupu o te waiata a te wahine ra. Anō, tōrino kau ana mai i runga i te kare o te wai, ānō te kō e pā ana ki tētahi pari! Na, ka whakahokia mai, anō te mamahutanga ki tōna kōiwi! Anā! Koia ia, ko te hou o te waiata a Tuawahine, mataaho mai ana ki ngā taringa. Koia tēnei:

Nāku rā i moe tūwherawhera,
Ka tahuna ki te ahi kia tino tūrama,
Ā, ka kataina a au nā.

Na, ka mutu tāna waiata, kātahi ia ka whakaangi i taua toka nei ki te whakamōtī i a ia. Kātahi ka kite mai taua koroheke ra i a ia ka rere i te pari. I kitea mai e ia ki ngā kākahu ka mā i tōna rerenga ai.

Kātahi ka whakaū mai tō rātou waka ki te take o te toka i rere nei te wahine nei, ka ū mai. Ū noa mai, ka kite rātou i a ia e takoto ana, kua mongamonga noa atu. Ko te waka whakairo nei kua paea ki te ākau, kua pakaru rikiriki. Ā, kua ngahae hoki te waka whakairo a tēnei koroheke, arā, te pai whakarere rawa atu o te tamāhine nei.

Ā, mohoa noa nei, maharatia tonutia e mātou te ingoa o tērā toka ko Te Rerenga-o-Te-Ao-huruhuru. Ā, maharatia tonutia hoki e mātou ngā kupu o tāna waiata. No te taenga mai hoki o ngā tauhou ki konei, ka ārahina rātou e mātou ki te toka nei kia kite.

Heoi anō.

Te Ao-huruhuru

NOW PĀ-MĀRAMARAMA WAS the name of the pā where Te Ao-huruhuru's husband lived. He was an old man, and his wife was a low-born woman he had taken from a man she greatly loved. The reason he had taken her was that she was a fine woman, beautiful and hard-working. She spent her time preparing food and weaving garments for this old man, but she was only his slave, and her heart still belonged to the man she loved so much.

After she had lived with this old man for a long time, he insulted her. This is what he did. The two of them were asleep one night, and had been for a long time, when the old man woke up and looked at his girl wife, who lay fast asleep. Her clothes had slipped off, because her arms and legs had been moving about in the heat. Then he made the fire blaze up, and when it did so, he saw where her clothes lay, and that she was naked.

Then the old man wondered at her beauty. Her curly locks shone in the firelight, her body glowed, and her skin was smooth and gleaming. Her face was like a fine summer's day, and her bosom, when she drew breath, was like the waves on the calm ocean in the eighth month, when they are reddened by the setting sun. Such was the skin of our lady.

After the old man had looked for a long time upon the beauty of his girl wife, he woke the old men who were with him in the house so they could gaze upon her as well. Then while they were doing this, she woke up. She suddenly woke, and found she was being gazed at by all the old men in the house.

Well then, she sprang up, overcome with shame. And there were dark clouds where the weather had been so fine, and her bosom was heaving as though the earth were shaking. She was overwhelmed with shame. She clutched at her clothes to cover herself, and she ran to a corner of the house and wept. She wept on like this till morning.

As soon as it was light the old man and his companions set off, got into their canoe, and paddled out to sea to go fishing. And when the old man and his friends were gone, this woman thought how badly her husband had treated her, and she decided to kill herself. A high rock stood on the shore there — and the name of this rock now is 'Te Ao-huruhuru's Leaping-place'.

So then the girl set about adorning herself. Now she combed her hair, she dressed herself in her kaitaka cloaks, and she decked her head with plumes — they were those of the huia, the white heron and the albatross. Then when this was done, the girl rose up. She set out, she reached the top of the high rock, and she sat there. And then the girl began to compose a song for herself.

When the words of her song were ready, her husband and his friends were paddling back to land. Her husband's canoe came close to the foot of the rock where the girl was sitting, and the old man's heart was overcome at the sight of his young wife's beauty. Then they realised that the woman was singing her song. And they listened to the words of the woman's song. How they came floating towards them over the surface of the water, like a shout striking a cliff! And when it went echoing back to her, how it soothed her spirit! Here are the words of our lady's song, which came clearly to their ears. Here they are:

When I lay there exposed,
They made the fire burn brightly
And they laughed at me.

Now when the song was ended, she threw herself down from the rock to destroy herself. The old man saw her leap from the cliff. He saw her clothes gleaming white as she leapt.

Then their canoe reached the foot of the rock from which she had leapt, and when they reached it they saw her lying there shattered. This carved canoe was stranded on the rocks, broken to pieces; the carved canoe of this old man — that's to say, the surpassing beauty of this girl — was torn apart.

Right down to the present day, we have remembered the name of this rock, Te Ao-huruhuru's Leaping-place. And we have remembered the words of her song. When strangers come here, we take them to see this rock.

That is the end.

29   How Mata-tini won Te Naue

T HE UNKNOWN WRITER of this story may have belonged to Ngāti Paoa, who occupied the Hunua Ranges, near Tāmaki, where these events occurred. Te Wairoa, where Te Naue met Mata-tini, is at the mouth of the Wairoa River. Raukura Point, the headland where she waited for him, is to the east of Te Wairoa.

The writer begins by expressing his views on the importance of aristocratic descent. He then describes the events which led to the union of the ancestors from whom his own hapū trace their descent. The Ngāpuhi tribe, to which Te Naue belonged, live in the Far North.

Other legends as well tell of a man of good birth who, when visiting another tribe, does not lay claim to aristocratic privilege but behaves as though he were one of the common people. Despite this, his true qualities are at once apparent.

Ko Te Naue rāua ko Mata-tini

K O NGĀ TŪPUNA o te tāngata ehara i te wāhi kotahi; no tērā wāhi, no tērā wāhi. Kei ngā mātua hoki te tikanga i pēnei ai, kei te matua tāne rānei, kei te matua wahine rānei. Arā, i taha mahimahi pea tētahi wāhi o ngā tūpuna, kīhai i kanoi. Koia i kore ai he rangatira nui mo tēnei motu, mo Niu Tīreni: kāhore he tāngata, arā he tūpuna kanoi ki te rangatira-tanga hei pēhi i te kino, hei hāpai i te tika mo ngā tāngata o tēnei motu, kia noho pai ai rātou, kia whiwhi ai rātou ki te mahi pai ma rātou.

Koia i pēnei ai [ki] tōku whakaaro, he mate hoki no te kupu, e kore e ora; koia i mea ai he rangatira anō tō rātou, tō tēnei iwi, tō tēnei iwi. Koia i tutū ai he hua no ngā rangatira, he kore no te kanoi hei pēhi i te kino. Ko ā rātou tikanga, e whakataurekareka ana tētahi rangatira i tētahi.

Ko tō mātou nei tupuna, no Ngāpuhi a Te Naue, te tupuna wahine. Ko te tupuna tāne, no konei anō a Mata-tini, no te riu o Hauraki nei anō. Ko te tikanga i kitea mai ai tēnei wahine ki Hauraki nei, ko te whaea, ko Tuohu-piko, i riro mai i te herehere — arā i te pārau, i te whakarau. Ko te kōtiro ka noho atu. Arā, i mau anō ia i te taua, i tukua atu tēnei e te whaea i runga i te papa-ā-waka, ka tukua kia tere ki te pā.

Ka kitea mai e te pā raka e tere ana. Hua noa he waka kau, kāore he utanga o runga; tirohia rawatia iho, ko Te Naue e takoto ana i roto i te waka. I takaia ki te pūeru. Ko tō namata taonga nui tērā; ko tērā kākahu no ngā rangatira anake.

Ko te matua me te whaea o Te Naue he rangatira nunui anake rāua. Ko tōna whaea ka riro rawa nei i te herehere, ko te matua tāne me te kōtiro i noho atu i te kāinga tupu. Ka riro mai te whaea, ka noho atu te kōtiro. Ā, kaumātua noa; ka tamāhinetia, ka wahinetia; ka mau hoki te rongo.

Kātahi anō te kōtiro ka mea kia haere ia kia haha i tōna whaea. Kātahi ia ka haere mai; ka eke mai i runga i te waka, ka haere teretere mai. Ko taua wahine he wahine pai, arā tōna pai ko te āhua o te kanohi; ko tā te Māori pai tēnei o te wahine. Ko tētahi wāhi, he rangatira — kātahi ia ka tino pai rawa atu!

Ka tae mai taua wahine ra ki konei; ko te kāinga i tae mai ai, ko Te Wairoa. Kīhai i maha ngā rā ki reira, ka puta noa atu te rongo o tēnei wahine ki Hauraki. Ko te putanga tēnei o tōna rongo ki Hauraki. 'Ko Te Naue kua tae mai, ko te tamāhine a Tuohu-piko; kei Te Wairoa.'

Kātahi ka haere mai ngā tāngata o Hauraki ki te mātakitaki. Ngā tāngata e haere mai ana ki te mātakitaki, ko ngā taitamariki anake. Ko te take tēnei o tō rātou haerenga mai, he hiahia no rātou ki a Te Naue kia riro i a rātou hei hoa mo rātou. Ki te pai ki tēnei tangata, e pai ana; ki te pai ki tētahi atu, e pai ana; ki a rātou katoa, e pai ana. He nui ngā teretere e haere mai ana ki te mātakitaki; e kore e roa te tirohanga a taua wahine ra ki te manuhiri, kua hoki. Ko te take tēnei i whakaparahako ai taua wahine, he kikino no te tāngata.

No muri ka haere mai te waka i a Mata-tini, ka tae mai ki Te Wairoa. Ka kitea e ngā tāngata o reira, ka tāwhiritia. Ka ū ki uta, ka puta iho a Te Naue kia kite i te manuhiri. Ko tōna titiro, tau tonu ki a Mata-tini hei hoa mōna.

Muri iho ka haere ki te kāinga, ka tahuna te ahi roi. Haere ake ki te ahi nei e rua rau: te wāhine, te tāne, te tamariki. Ko te wāhine hei huri-huri, ko te tāne hei patu. Ā, ka pūranga te roi, ka rukea ki tahaki.

Ka whakatika mai a Mata-tini ki te kai. Ko ngā rangatira i tētahi pito, ko ngā tūtūā he pito kē anō; ko Mata-tini i roto i ngā tūtūā e kai tahi ana. Titiro rawa mai a Te Naue, ka noho a Mata-tini ki reira, ka haere mai te wahine ra me tāna kōwhatu anō, ka noho ki te aroaro o Mata-tini, ka patu i te roi. Ka riri te manuhiri nei ki a Mata-tini. Ko tā rātou kupu riri tēnei. 'Koia rawa tātou i uta mai ai i tēnei tangata!'

Ā, muri iho, ka mutu te kai, ka hoki ki tahaki. Ahiahi noa, ka tūria te haka. Ka puta a Mata-tini, moruki kau ngā ringaringa, ānō hoki te ringa wahine. Na, ka rere te wahine nei ki a Mata-tini, haka tonu.

Ā, ka mutu, ka moe te manuhiri nei; ko ngā rangatira i roto i te whare, ko ngā tūtūā i waho. Ka kite a Mata-tini, ka moe ia ki reira, ki roto i ngā tūtūā. Kua kite mai a Te Naue i te moenga o Mata-tini, taumau tonu mai. Ā, ka warea e te moe, te haerenga mai o te wahine ra, ka moe rāua ko Mata-tini.

Whakatū tonu atu kia tahuti taua wahine ra. Ā, kīhai i pūao te ata, ka haere; ka ahu te haere ki runga ki Taupō. Ko te nohoanga mo taua wahine ra kua tohutohungia atu e tōna hoa. Ko tāna kupu tēnei. 'Kia tika tōu haere ki Raukura, ki te tumu e kōkiri ana ki waho o te tumu roa na; hei konā koe noho mai ai. Ki te karanga he reo, kei puta iho koe. Ki te karanga ko au, hei konā koe ka puta.'

I te ata anō ka hoe te waka ra, ka hoki ki tōna kāinga. Ko te pā i noho ai te wahine nei kei te haha i te wahine ra. Ko te whaea o taua wahine kua rongo ki te haha a te tāngata; ka haere ki te whaea pātai ai, ka mea mai ia, kīhai i kite. He huna tēnei nāna, he wehi i tāna kōtiro, kei kumekumea.

Ka hoe te waka ra, ka wawata ha ki a Te Naue, ka karanga, ka mea, 'Te Naue ē, puta mai!'

Ka pēnā tonu te karanga a ngā tāngata o te waka, ā, tae noa atu ki Raukura. Ka karanga a Mata-tini, ka mea, 'Te Naue ē, puta mai! Ko au tēnei, ko Mata-tini.'

Te putanga iho, tū ana i tātahi, ka kite te waka nei. Tīrau ana te kei, tīrau ana te ihu. Kua tata ko te kei, kīhai i whakatika; kua tata te ihu ki uta me waengarahi, kua piri katoa ki uta. Ko Mata-tini i waengarahi e noho ana. Ka haere mai te wahine nei, tika tonu ki te aroaro o Mata-tini. Karanga noa te ihu me te kei kia tika ki reira, kia noho tahi ki a rātou; kīhai i pai.

Na, ka riro tēnei wahine i a Mata-tini, ka moea e ia hei hoa tupu mōna. Ka puta ake tāna tama, ko Hura. Ka moe a Hura i a Waita, ka puta ake ki waho āna tama, ko Te Kore rāua ko Te Toki. Ko Te Kore te tuakana, ko Te Toki te teina.

Te Naue and Mata-tini

PEOPLE DON'T TRACE their descent from a single place, they trace it from many different places. This is because of their parents — the male parent or the female one — because a person's ancestry may be partly of dubious origin, not from a good lineage. And that's why there is no great rangatira for this island of New Zealand. There are no men with ancestors whose descent goes right back to the real nobility — a descent which would allow them to suppress evil and support those things that are beneficial for the men of this land, allowing them to live well and act properly.

This, I believe, is why their words fail and are not successful; this is why each tribe claims to have rangatira of their own. This is why the descendants of rangatira behave in an undisciplined manner — because they don't have the authority of high rank that would enable them to suppress evil. Instead, rangatira spend their time belittling each other's descent.

As for our own ancestor: our female ancestor, Te Naue, came from Ngāpuhi, while our male ancestor, Mata-tini, came from right here in the Hauraki Basin. The reason this woman was seen here in Hauraki is that her mother, Tuoho-piko, had been brought here as a prisoner — she came in captivity, as a slave. The daughter went on living away from her. That's to say she was taken by the war party as well, but her mother sent her back on a little canoe, letting it drift towards the pā.

In the pā they saw it drifting towards them, and they thought it was just a canoe with nothing on board — but then when they looked right down into it, there was Te Naue lying in the canoe! She was wrapped in a pūeru cloak. In ancient times, those were the most treasured of possessions. Those garments belonged only to rangatira.

Te Naue's father and her mother were both of very high rank. Her mother was brought all the way here as a prisoner, while the father and daughter went on living away from her. The mother was brought here, and the daughter lived away from her. In time she grew up; she became a girl, then a woman. By now there was peace.

So then the daughter decided to go and find her mother. And so she came here. She boarded a canoe, and she came with a travelling party. Now this woman was beautiful; that's to say, her beauty was in her face. This is what the Māori value so much in a woman — though being a rangatira is important too. When there's that as well, a woman is most beautiful of all!

The woman arrived here; and the village she arrived at was Te Wairoa. Before she'd been there many days, the news about her had spread right through Hauraki. This was the news about her that spread through Hauraki. 'It's Te Naue who's come, Tuoho-piko's daughter. She's at Te Wairoa.'

So then the people of Hauraki came to gaze upon her. The people who came to gaze were all of them young men, and this was the reason they came: they wanted to win Te Naue as their wife. It wouldn't matter if she liked one particular man or another, they would all be pleased. Many were the parties of travellers that came to gaze upon her — but before the woman had looked for long at the visitors, they were gone. This was the reason the woman rejected them: these men were ill-favoured.

Then after this, Mata-tini's canoe came here; it arrived at Te Wairoa. It was seen by the people there, and they waved a welcome. It landed, and Te Naue came down to see the visitors. Her gaze lighted upon Mata-tini, and she wanted him as her husband.

Afterwards they went to the village, and fires were lit for fernroot. Upwards of 200 people came to these fires, women, men and children. The women were there to turn the fernroot, and the men to beat it. As the fernroot piled up, it was thrown to one side.

Then Mata-tini rose up to eat. The rangatira were at one end and the common people away at the other end, and Mata-tini was in amongst the common people, eating with them. Now when Te Naue saw Mata-tini sitting there she came with her stone, she sat in front of Mata-tini and she beat his fernroot. Then the visitors were angry with Mata-tini. These were their angry words: 'So it was for this that we brought this man here!'

Later, when the meal was finished, they went a little distance away. And when it grew dark, there was dancing. Mata-tini came out in front, and his hands were so supple, they were like those of a woman. Now the woman leapt up towards Mata-tini, and they danced on.

After the dancing the visitors lay down to sleep, the rangatira in a house and the common people outside. When Mata-tini saw this, he lay down there amongst the common people. And when Te Naue saw where Mata-tini was lying, she claimed him as her own. Later, when everyone was overcome with sleep, she made her way to Mata-tini and she slept with him.

Afterwards he told the woman she must run away, and she set off before the dawn of day; she went up above Taupō. The place where the woman was to wait had been described to her by her companion. What he said was this: 'You must go straight to Raukura, where a headland rises up behind another long headland there. That's where you must wait. When voices call, don't come down. When I call, then you must come.'

That very morning the canoe set off, going back home. The pā where the woman had been staying was searching for her. The woman's mother heard the people searching, and when they came asking she told them she hadn't seen her. She hid what she knew because she was afraid they would drag her daughter back.

As the canoe was being paddled along, those on board, wanting Te

Naue so much, called out, saying, 'Te Naue, come on out!'

The men in the canoe kept on calling like this, all the way to Raukura. And then Mata-tini called out. He said, 'Te Naue, come on out, it's me, Mata-tini!'

She came down and she stood on the shore, and the men in the canoe saw her. Those in the stern brought their part of the canoe in, then those in the bow did the same. When the stern came in, she didn't go forward. Then the bow came close to the shore, and the middle part, and the whole vessel lay alongside. Mata-tini was sitting amidships. Then the woman did go forward, she went straight up to Mata-tini. The men in the bow and the stern kept calling to her to go to them and stay with them, but she wouldn't do so.

And so Mata-tini won the woman, and he made her his true wife. Later his son Hura was born. Hura married Waita, and his sons Te Kore and Te Toki were born. Te Kore was the elder, and Te Toki the younger.

30   *Te Kahu-rere-moa's journey*

THIS IS THE second half of a long legend concerning the fortunes of early ancestors of Ngāti Hauā tribe in the Hauraki region. Te Kahu-rere-moa and her father Pāka were living at Whare-kawa, on the western shore of Tīkapa Moana (the Hauraki Gulf), when they were visited by a rangatira from Aotea (Great Barrier Island), and Pāka decided that Te Kahu-rere-moa should marry this man's son. Te Kahu-rere-moa refused to do so, angry words were spoken, and she ran away to seek as her husband Taka-kōpiri, a young rangatira whose home was at Te Puke.

For a people who travelled on foot or by canoe, this was a great distance, and the route lay through the territories of different tribes. For a young, aristocratic woman accompanied by a single attendant, it was an extraordinary journey.

The two women made their way along the coast as far as the Waihou River, and there they met some people in a canoe who recognised Te Kahu-rere-moa, and took them on board. She went upriver as far as Raupa, and spent a night there. Then, escorted by her hosts, she climbed the Kaimai Ranges. Looking down from the peak of Hikurangi, she saw on the coast below Katikati and the Tauranga region, and rising from the plain far beyond, Ōtawa Mountain in the territory of Taka-kōpiri.

After passing through Katikati and Te Wairoa, Te Kahu-rere-moa and her attendant continued on towards Te Puke. While making their way past Ōtawa Mountain they met Taka-kōpiri, who was spearing birds there. Taka-kōpiri took them to his home, and soon afterwards he married Te Kahu-rere-moa.

Their marriage constituted an important link between their two peoples, and their daughter, Tūpara-haki, became a famous ancestress in the region.

This story was first published in 1854. The author is unknown.

Te Kahu-rere-moa

Ā KA KAUMĀTUATIA a Te Kahu-rere-moa, ka ū mai he teretere no Aotea ki Whare-kawa, ki a Pāka. Ko te tangata rahi tēnā o tērā motu, o Aotea; i haere mai ki te kawe tawatawa mai ma Pāka. E ono tekau o ngā kete.

Tae mai, ka noho, ka huāngatia tērā tangata ki a ia. Ka whakatūria tana tamāhine i konei, a Te Kahu-rere-moa, ma te tama a taua tangata. I whakatūria ai e Pāka tana tamāhine, kia riro ai a Aotea i a ia. Kei te tupuranga o ngā uri, te riro ai te whenua i a ia.

Ka hoki te teretere nei, kua taunga ki te kōtiro i tukua atu ra e tōna matua. No te hokinga, ka ngare te tangata nei i tana tamāhine kia haere ki runga ki te waka kia riro ki Aotea. Ngare noa, kīhai hoki i rongo; ka hoi a Te Kahu-rere-moa.

Ka mea te tangata o te waka ra, 'Waiho. E kore hoki mātou e roa atu; e hoki mai ana anō. E kore mātou e roa atu.'

Ka waiho a Te Kahu-rere-moa ki tōna matua. Ka hoe te waka ra; ko-tahi marama, ka hoki mai. Hoki rawa mai, e toru tekau o ngā kete tawatawa. Tika mai anō e tuwha ana, ka rere atu a Te Kahu-rere-moa i konei ki tētehi tawatawa māna. Heoti anō, ka rīria e Pāka tana kōtiro mo tana tangohanga i te ika.

Ko te kupu tēnei a Pāka i kī atu ana ki tana kōtiro. 'E kīia atu ana e ahau kia haere koe, koia tēnā, e kore koe e whāngaia.'

Heoi anō, ka mate a Te Kahu-rere-moa i te whakamā. Heoi anō, ko te mahuetanga atu anō o te kete ika ra; mahue tonu atu, ka hoki te wahine nei ki roto i te whare tangi ai. Ka mea te whakaaro o te wahine nei kia ngaro atu ia i te kanohi o tana matua, kia ngaro mai hoki te kanohi o tana matua i a ia. Ka tū te ngākau o te wahine nei ki a Taka-kōpiri hei hoa mōna; kua kite hoki ia i tērā tangata, he rangatira, he nuinga no te kai rangatira i a ia, arā no te huahua, arā no te kiwi, arā no te kiore, arā no te weka, no te tuna, no te tawatawa, no te kōura, no te aha, no te aha, no te tini noa iho o te kai, o te taonga.

Ka tangi te wahine nei i roto i tōna whare, he whakamā nui; ahiahi noa e tangi ana. Ka pō, ka mea te wahine nei kia haere atu ia, kia tahuti. No te wareatanga e te moe o te tāngata, ka haere te wahine nei, ka oma rāua anō ko tana taurekareka. Ka haere a Te Kahu-rere-moa rāua ko tana taurekareka; ao rawa ake te rā, kua riro. Hoatu rawa te kaihaha, kua riro noa atu; kua mārama te puehu o ngā waewae o ngā wāhine nei.

Ko te kāinga i haere atu ai, ko Te Wai-puna. Ā, ka mahue a Pūkorokoro, awatea rawa ake i Wai-takururu. Puta rawa mai te tara o te rā, kei runga o Poua-rua e haere ana. Wāhi iti, te whakangāwaringa atu kei Rawhaki, kei te puaha o Piako, kua whiti kei Ōpani. Heoi anō, e kore e taea te whai, ka pari hoki te tai.

Ko ngā waka hoki o roto e hoe ana ki Ruawehea. Ka kitea, ka pā te karanga, 'Ē, ko Te Kahu-rere-moa, ko te tamāhine a Pāka!'

Kei runga i te waka, ka karangatia hoetia i runga i ngā waka, 'Ko Te Kahu-rere-moa,' atu anō i waho nei, ā, roto atu anō. Me pēwhea, i te kawenga a te pāwerawera? Ka rumaki tonu te pane ki raro ki te hoe i te āinga hoki a te wehi, ā, noho noa atu i Raupā.

Pō tahi ki reira, ka haere ki tua, ki Katikati. Pupuru noa kia noho, kīhai i noho. Haere tonu: tā Tama tū ki roto, tāna pai hoki.

Ka haere te wahine nei, ā, ka tae ki Hikurangi, ka kite i Katikati, ka titiro ki Tauranga, ka ahu te titiro ki Ōtawa. Ka pātai te wahine ra ki ngā tāngata whenua e haere tahi ana i a rāua; ka pātai, ka mea, 'Ko whea tērā maunga?'

Ka kīia mai e aua tāngata, 'Ko Ōtawa.'

Ka pātai anō te wahine ra, 'He aha te kai o tērā maunga?'

Ka mea atu te tangata nei, 'Ngā kai o tērā maunga he kiwi, he weka, he kiore, he kūkū, he tūī. He maunga huahua tērā maunga.'

Ka pātai atu te wahine ra, 'I a wai tērā kāinga?'

Ka kīia atu e te tangata ra, 'I a Waitaha. Ko Taka-kōpiri te rangatira

168

nōna tērā maunga; ko ia te rangatira o tērā iwi o Waitaha. Ka mahi tērā iwi i ngā kai o tērā maunga, māna anake; ngā kai o whea whenua, māna anake: te aha, te aha.'

Heoi anō, ka mea te wahine nei, 'E haere ana māua ki reira, ki Ōtawa.'

Ka mea mai te tangata ra, 'Koia?'

Ka mea atu te wahine nei, 'Āe, ko reira māua, na Pāka māua i ngare mai kia haere māua ki te tiki i a Taka-kōpiri, kia haere mai ki Wharekawa.'

Kōrero tonu i reira, ā, ka mutu. Ka haere rātou, ka puta ki tātahi, ki Katikati. Ko Waitaha anō i reira, ko te iwi o Taka-kōpiri.

Ka kitea, ka pā te karanga, 'Ko Te Kahu-rere-moa, ē! Ko te tamāhine a Pāka!'

Ka hui tērā iwi ki te mātakitaki, ka noho ki te kāinga. E tahu ana te kai; ka maoa, e kai ana. Mutu rawa ake, kua pō; e whiu ana te wahie ki te whare, e tū ana te haka. (Ko tō tē tāngata Māori taonga nui tēnei mo te manuhiri; ka mahia tēnei, he whenua rangatira, he hūmārire.)

Ko te haka a te iwi nei e whakataritari ana i a Te Kahu-rere-moa kia whakatika ki runga ki te haka hei mātakitaki ma rātou, kia kitea te āhuapaitanga ki te haka. I reira ka mea te wahine nei, 'Koia kei a koe, ka hei tāu!'

Tino whakatikanga o te wahine nei ki runga ki te haka, i te toronga kautanga o ngā ringa, inamata, e whakatangihia ana ki te ngongoro. Ko ngā ringa me te mea ka marere, ko ngā koikara, piri ana i tua i te angaangamate o te kapu o te ringa. Koia anō me te mea e komurua ana te tamāhine a Pāka! Tā te Aitanga-a-Tiki pai, tā te kotahi a Tū-tawake pai — arā, ōna whakataukī, ō te rangatira, 'He riri anō tā te tawa uho, he riri anō tā te tawa para.'

Arā, ō te rangatira ōna whakataukī, tū atu ki te haka. He haka anō tā te rangatira, he haka anō tā te ware, he porahu noa iho ngā ringa.

Haka tonu, ā, ka mutu, ka rere taua iwi ra ki a Te Kahu-rere-moa. Ka pō, ka hoki ki te whare ki te moe.

Tērā taua tangata te haere mai ra ki te whai i te wahine nei hei wahine māna; i titiro ki te pai. Tino rerenga o te wahine nei i te pō, ka rere ki te wai; rere tonu atu. Paraparau kau te tangata nei mo te rerenga o Te Kahu-rere-moa.

Ka rere te wahine nei ki tana haere noa atu ki Tauranga — āna, haere noa atu! Ao rawa te rā, i Te Wairoa rāua tahi anō ko tana ora.

Ka kitea e ngā tāngata o reira i te ata, ka pā te karanga, 'Ko Te Kahu-rere-moa!'

Ka hui ngā tāngata o reira ki te mātakitaki, ka purutia hoki e ngā iwi o Taka-kōpiri ki reira. Ka noho, ka kai, ka ora, ka haere i te puta[ke] o Ōtawa, ka moe. Ka huaki te ata, ka haere rāua.

Terā a Taka-kōpiri te haere mai ra; e haere ana ki te mahi i tōna kāinga, i Ōtawa. He wero manu tāna mahi ki te tuhun[g]a a te tangata nei, i te huarahi tonu e tū ana; he kuku te manu o runga.

Tēnei ngā wāhine nei te haere atu nei, ko ngā weweru, he mea tāpeka ki runga i te kakī; ko te hoa e waha ana i te kai ma rāua. Kīhai ka tata atu ngā wāhine ki te motu ra, kua rongo rāua i te kapakapa o te harirau o te kuku kua tū i te tangata ra te wero.

Ka tū ngā wāhine ra, ka whakarongo. Ka mea atu a Te Kahu-rere-moa ki tana hoa, 'E hoa, he tangata! E rongo ana koe i te manu e kakapa mai ra?'

Ka mea ake te hoa, 'Āe, kua rongo au.'

Ka mea atu a Te Kahu-rere-moa, 'Āe, he kapakapa tērā no te manu mate e werohia ana e tētehi tangata.'

Ka mea mai te hoa, 'Āe, tāua ki reira.'

Kīhai i raro, kua rangona e rāua te harurutanga ki raro, te whiunga iho. Kātahi ka haere atu rāua ki reira. Kua kitea mai rāua e haere atu ana, ka mōhio mai taua tangata. Ko tōna mōhio mai tēnei: 'Ehara ēnei wāhine i konei; no tawhiti noa atu.'

Kua noho ngā wāhine ra ki raro, rokohanga atu e takoto ana te kai nei a te kukupa. Ka noho ngā wāhine ra ki raro. Ko te tangata ra i runga anō i te rākau e noho ana; kua tirohia iho ki ngā weweru, he mea tāpeka, ka mōhio tonu iho no tawhiti tēnei tira, no ngā whenua noa atu, ehara i konei. Mehemea no konei, he hauraro noa iho te kākahu o te weruweru.

Ka heke iho te tangata ra, ko te here ka waiho kia rere ana. E heke iho ana te tangata ra, kua mōhio ake ngā wāhine nei. Kua mōhio, kua mea atu te hoa, 'E hoa, ko Taka-kōpiri!'

Ka mea mai te hoa, 'Ko ia?

Ka kī atu, 'Āe, kua kite au; i tae ake anō ki Hauraki ra.'

Ka mea tētehi, 'He pono, ko Taka-kōpiri tēnei?'

Ka mea atu te hoa, 'Āe, koia tēnei, ko te tangata e haerea nei e tāua.'

Ka tatū iho te tangata ra ki raro, karanga tonu mai; ka karanga atu hoki ngā wāhine nei. Tahuti mai ana, tahuti mai ana; ā, ka tae atu te tangata ra, ka tuku te ihu ki a rāua. Hongi mōhio ana rāua, hongi kuare ana te tangata nei.

Kātahi ka puaki mai te kupu a te tangata nei. 'Tātou ka haere ki te kāinga, ki waho hoki.'

Ka ngare te tangata nei, ka whakaāe ngā wāhine nei kia haere rātou ki te kāinga. Ka haere rātou. Ā, te huarahi, ka ngare te tangata ra kia hohoro tā rātou haere. Ka whakaaro te wahine nei, e kore ia e kitea — kāore anō ia i mōhiotia e te tangata nei, me i te ngarengare tonu. Ka peka te wahine nei ki tahaki, kia pātai ai te tangata ra ki tana hoa.

Titiro rawa ake te tangata ra kua peka te wahine nei ki tahaki, ka haere anō rāua. Ā, ka mamao noa atu, ka kotahi pukepuke, ka pātai atu te tangata ra ki te ora o te wahine nei, ka mea, 'Ko wai tō hoa?'

Ka mea atu te ora ra, 'Ko taku hoa koia tāu e pātai mai na?'

Ka mea atu te tangata nei, 'Āe, he kaha ui te kaha.'

Ka mea atu anō te ora nei, 'E pātai ana koe ki tōku rangatira, ko te ingoa o tōku rangatira, ko Te Kahu-rere-moa.'

Ka mea mai anō te tangata ra, 'Ko Te Kahu-rere-moa, tamāhine a Pāka nei?'

Ka mea atu te ora nei, 'Āe, e waru atu hoki Pāka, e waru atu hoki Kahu-rere-moa? Koia tēnā.'

Ka mea te tangata nei, 'Ko wai hoki ka tohu ko ia tēnei? Ma wai hoki te tāngata o ngā whenua noa atu e whakakite mai ki konei haere ai?'

Ka mea anō te tangata nei, 'Tāua ka noho i konei tatari ai kia tae mai.'

Kīhai i taro, ka puta mai. Ka karangatia e te tangata nei, 'Kia hohoro mai, ka mate tātou i te kai. Kei tawhiti noa atu te kāinga, kia hohoro mai!'

Ka mea iho anō te tangata nei, 'Haere ake i muri nei, kia hohoro ake te haere!'

Ka rere te tangata nei, ā, ka kite atu i te pā, ka pā te karanga a te tangata nei, 'Ko Te Kahu-rere-moa ē, ko te tamāhine a Pāka tēnei!'

Ka mea te iwi nei, 'He wawata na te tangata ra ki te tamāhine a Pāka.'

Ka karanga anō te tangata ra, 'Ko Te Kahu-rere-moa ē, ko te tamāhine a Pāka!'

Ka mea te iwi ra, 'He tika, me i te tohe tonu ki te karanga.'

Ka mea ētehi, 'Ko wai hoki koā ka tohu? Na wai te tāngata o ngā whenua noa atu ra i kawe mai ki konei haere ai? He tauhou te whenua, he tauhou te tāngata, he ingoa hau tēnei ingoa e karangatia mai nei ki te taringa.'

Kātahi anō te iwi nei ka puta ki waho ki te tāwhiri. Ka puta mai a Te Kahu-rere-moa, ka pā te karanga:

Haere mai ra, e te manuwhiri tūārangi,
Na taku pōtiki ko[e] i tiki atu
Ki te tahatū o te rangi kukume mai ai.
Haere mai, haere mai!

Ā, ka tata atu ki te mano e tū mai ra, kua taurite ki te kāinga o tēnei tangata, ka pupuru tēnei tangata kia noho ki tōna kāinga. Ka karanga mai anō te tangata ra, 'Kia kaha te haere, kia piri mai ki taku tuara!'

Pērā tonu ngā tāngata o te pā nei te pupuru i a rāua ki te kāinga. Hei aha ma tō rāua rangatira e haere nei? He pupuru tēnā, hei aha māna? Ā, ka tae ki tōna kāinga, kātahi anō ka noho i reira.

Ka hui te tāngata ki te mātakitaki, ka mahora te kai; ko ngā kai o te maunga i mau ra i a rāua e wero ra te tangata ra. Mahora mai, mahora mai te kai ma rāua, tuku tonu ake ma te aparangi, kia ora te noho mai, te mātakitaki mai; ā, pō noa te rā, ka noho tonu iho hei hoa mo rāua. Ka reia taua wahine e ngā tāne o reira, he pērā kau anō. Me pēwhea, i te wehi o Taka-kōpiri?

Ā, kotahi marama ki reira, ka moea e Taka-kōpiri. Kīhai i kopa te marama, kua kitea te hapū. Puta ake ki waho ko Tūpara-haki, he wahine.

Te Kahu-rere-moa

NOW WHEN TE Kahu-rere-moa had grown up, a travelling party from the island of Aotea landed at Whare-kawa, visiting Pāka. It was the leading man on the island who came, bringing mackerel for Pāka. He came with 60 basketsful, and he stayed for a while.

Then Pāka decided to establish a family connection with this man, and he suggested that his daughter, Te Kahu-rere-moa, should marry the man's son. He did this so that he would gain possession of Aotea — for later on, when their descendants grew up, he would own that land.

The time came for the travellers to return. They had accepted the connection the father had offered, so as they went to leave he told his daughter to board the canoe and be taken to Aotea. But though he kept telling her this, Te Kahu-rere-moa paid no attention. She was stubborn.

The leading man in the canoe said, 'Let her stay, we won't be gone long. We're coming back again, we won't be gone long.'

Te Kahu-rere-moa stayed with her father, and the canoe went off. One month later, it came back; it came with 30 baskets of mackerel. All the people made for the canoe and shared them out, and Te Kahu-rere-moa rushed up to get herself a mackerel. But Pāka was angry with his daughter for taking a fish. This is what he said to her: 'I told you to go, so now you're not going to have any.'

Well then, Te Kahu-rere-moa was shamed at this, and she left the basket of fish. She left it there, and she went inside her house and wept. Then she made up her mind that she would be lost to her father's sight, and he to hers. In her heart she was determined to have Taka-kōpiri as her husband, because she had seen him, and he was a rangatira, with plenty of food fit for a rangatira — that's to say, preserved game. He had kiwi, rats, weka, eels, mackerel, crayfish, and every other kind of game — great quantities of food, and possessions of all kinds.

The woman wept inside her house, her shame was so great. She wept

A figure from the lintel of a house which once stood in the region where Te Kahu-rere-moa grew up.

on till evening. Then when night came she decided to go away, to escape.

When everyone was fast asleep she set off, running away with her slave. Te Kahu-rere-moa and her slave set off, and when day came, her people found they were gone. They pursued them, but the dust in their footprints showed they had been gone a long time.

Te Wai-puna was the village they were making for. Later they left Pūko-rokoro behind them. By daylight, they were at Wai-takaruru. By the time the sun's rays were high in the sky, they were passing above Poua-rua. They travelled fast; soon they were at Rawhaki, at the mouth of the

Piako River, and they had crossed to Ōpani. So the pursuers couldn't reach them, because the tide was coming in.

Some canoes from the interior were making for Ruawehea. The people in them saw her, and the cry went up, 'It's Te Kahu-rere-moa, Pāka's daughter!'

She boarded one of their canoes, and they called out as they paddled on, 'It's Te Kahu-rere-moa!'

They kept on calling like this all the way up from the river mouth and until they were far inland. What could they do, they were so confused! They were awestruck, and they bent their heads over their paddles and kept right on till at last they reached Raupa.

The woman stopped there for just one night, then went on over the range to Katikati. The people begged her to stay, but she wouldn't do so, because her heart within urged her onward.

The woman kept on going, and at Hikurangi she saw Katikati, and she looked down at Tauranga and right across to Ōtawa. Then she asked a question of the local people who were accompanying her. She asked them, 'What is that mountain?'

They told her, 'Ōtawa.'

She asked another question. 'What is the food from that mountain?'

They said, 'Kiwi, weka, rats, pigeons and tūī are taken there. It is a mountain rich in game.'

She asked them, 'Whose territory is it?'

She was told, 'It belongs to Waitaha. Taka-kōpiri is the rangatira who owns the mountain. He is the rangatira of the Waitaha tribe. When those people get food from their mountain, it's all for him. All the food is for him alone, no matter where it's from or what kind it is.'

Well then, the woman told them, 'The two of us are going over there to Ōtawa.'

The people said, 'Are you really?'

She said, 'Yes, we're going there. Pāka sent us to fetch Taka-kōpiri and bring him to Whare-kawa.'

After talking like this they went on, and they came out on to the shore at Katikati. That was where Taka-kōpiri's tribe of Waitaha were living. They were seen, and the cry went up, 'It's Te Kahu-rere-moa, Pāka's daughter!'

The people crowded around to gaze at her. She stayed at the village, and they cooked some food; when it was ready, she ate. Then it grew dark, and firewood was brought into the house and the dancing began. This is the great treasure that the Māori offer their guests. Where there is dancing, there is a noble and graceful land.

While the people were dancing they were trying to excite Te Kahu-rere-moa and make her stand up and dance herself, so they could see how good she was. And presently the woman said, 'You've had your turn! I can match you.'

As soon as she stood up to dance, the moment she stretched out her hands, straightaway there was a murmur of admiration. It was as if her hands would fall off, and her fingers bent to the backs of her hands! It was just as though Pāka's daughter were being massaged! Her skills were those of the descendants of Tiki, the triumphant one of Tū-tawake, for the saying about the nobility is, 'Tawa heartwood has one way of fighting, and waste tawa wood has another way.'

This is what's said when high-born people stand up to dance, because the nobly born have one way of dancing and ignorant, low-born men and women a different way, their hands are so clumsy.

Te Kahu-rere-moa danced on, and when she had finished the people made much of her. Then in the darkness they went back to their houses to sleep.

A man came to her then, wanting to win her as his wife, for he had seen her beauty. But the woman rushed off into the night. She plunged into a stream and she ran off, leaving the man frustrated there.

She hurried on towards Tauranga; she kept on going, and at daybreak she and her slave were at Te Wairoa. When the people there saw her in the dawn, the cry went up, 'It's Te Kahu-rere-moa!'

Taka-kōpiri's people all came to gaze at her, and they urged her to stay. She rested, she ate and recovered, then she went on, skirting Mount Ōtawa. She slept there, then at dawn the two of them went on again.

Now Taka-kōpiri was coming towards them, on his way to his territory at Ōtawa. He was spearing birds on his perches, in a tree that was right on the path; the birds were pigeons. Along came the women, with their fine cloaks rolled up round their necks and the slave carrying their food. When they were still some distance from the clump of trees they heard the flapping of a pigeon he had speared, and they stopped and listened.

Te Kahu-rere-moa said to her companion, 'There's someone there. Did you hear that pigeon flapping?'

Her slave said, 'Yes, I heard it.'

Te Kahu-rere-moa said, 'It was the noise a bird makes when it's been speared.'

The slave said, 'Yes, let's go over.'

Soon afterwards they heard a crash as something was thrown to the ground. They went over, and they were seen approaching. As the man looked at them he realised something, and it was this: 'These women aren't from here, they're from far away.'

The women sat down, finding a heap of pigeons. They sat down there. As for the man, he was sitting up in the tree. He had looked down and seen how their fine cloaks were rolled up, and he had realised that these travellers were from far away — from a distant land, not any place nearby. If they had been from a place nearby, their good clothes would have been hanging down in the usual way.

The man came down, leaving his spear swinging in the tree. He came down, and the women recognised him. They recognised him, and the woman said, 'It's Taka-kōpiri!'

Her companion said, 'Is it him?'

She said, 'Yes, I've seen him when he visited Hauraki.'

The other said, 'Is it really Taka-kōpiri?'

She said, 'Yes, it's him. This is the man for whom we have come all this way.'

When he was on the ground he called to them, and the women called back. Each side hurried towards the other, and when the man reached them he hongied with them. They knew whom they were greeting, but he did not know.

Then the man spoke to them. 'Let us go to my village, on the other side of the forest.'

He pressed them to go, and the women agreed. They set out, and on the way he kept telling them to go faster. Te Kahu-rere-moa thought that since he was hurrying her along like this he couldn't have recognised her, and didn't yet know who she was. So she dropped back to give him the chance to question her companion.

He saw her do this, and after the two of them had gone a good way further on, over some rising ground, he asked, 'Who is your companion?'

The slave said, 'Is it my companion you're asking about?'

The man said, 'Yes, one nobly born person is asking about another.'

The slave told him, 'Well, if you're asking about my mistress, the name of my mistress is Te Kahu-rere-moa.'

The man said, 'Is she the Te Kahu-rere-moa who's Pāka's daughter?'

The slave said, 'Yes. Are there eight Pāka, or eight Kahu-rere-moa? It's her.'

The man said, 'Who would have thought it? Who can have brought these people here before us, coming from such a distant land?'

Then he said, 'Let's sit down and wait till she comes.'

Before long she appeared. And then he called, 'Hurry up, we'll be hungry, my home's a long way off. Hurry up!'

He told her, 'Come along behind me, and come quickly.'

He rushed on ahead, and when he saw the pā his cry went up, 'It's Te Kahu-rere-moa, Pāka's daughter!'

176

His people said, 'It's because he's been dreaming about her.'
Again he called, 'It's Te Kahu-rere-moa, Pāka's daughter!'
The people said, 'It must be true, he's keeping on calling it.'
Some of them said, 'Whoever would have thought it? Who can have brought these people here, coming from such a distant land? Those lands are strange to us, and the people are strangers, and this is a famous name that is being called in our ears.'

And they went out at once to wave their garments in welcome. When Te Kahu-rere-moa appeared, their cry went up:

Welcome to the visitor from afar!
My youngest child went to fetch you
And bring you from the edge of the sky.
Welcome, welcome!

The two women approached the multitude who were standing there. When they were in front of one of the houses, its owner tried to detain them. Taka-kōpiri called to them again, 'Keep on coming, keep close behind me.'

It was just the same with all the other men in the pā; each of them urged them to stay at his house. But what cared their rangatira as he went along? What was it to him that they tried to detain her? They reached his house, and only then did they sit down.

The people crowded around to gaze at her, and food was spread before them; they were the mountain foods which they had caught that man spearing. Much food was spread before them, and it was offered as well to that high-born company so they could keep on sitting there and gazing at them. Even when night came, they stayed with them still. The men made overtures to her, but it was just as before. What could they do, for fear of Taka-kōpiri?

A month later she was married to Taka-kōpiri, and before another month had passed she was found to be pregnant. And she gave birth to a daughter, Tūpara-haki.

Glossary

Note: Most Māori words do not change their form in the plural. The macron indicates a long vowel.

arā	Exclamation drawing attention to what is said.
aro-nui	Fine cloak with one wide, vertical tāniko border.
atua	Spirit, god.
ehara	Exclamation expressing wonder and drawing attention to what is said.
hapū	Tribe, sub-tribe.
hongi	Press noses in greeting; a greeting of this kind.
kaitaka	Finely woven, soft cloak with tāniko border.
kāore	Exclamation expressing wonder and drawing attention to what is said.
karakia	Ritual chant.
korowai	Finely woven cloak ornamented with black twisted thrums.
kotiate	Short, flat striking weapon with lobes on both sides.
kūmara	Sweet potato.
mana	Influence, prestige, power.
mauri	Life principle, source of vitality and mana.

mere	Short, flat stiking weapon of greenstone.
ngārara	Reptile.
pā	Fortress.
paepae-roa	Fine cloak with narrow vertical tāniko borders, and a wide border at the bottom.
pākehā	Person of European descent.
patu	Short flat striking weapon.
patupaiarehe	Fairy.
pūeru	Finely woven cloak.
puhi	High-ranking girl who was cherished and carefully guarded before marriage.
rangatira	Chief, person of rank.
taiaha	Long, two-handed weapon with blade at one end and point at the other; the weapon of a chief.
tāihāhā	In the story of Hine-poupou, apparently a shout to lure the great bird into the trap.
tāniko	Woven, decorative border of a fine cloak.
taniwha	Spirits believed to live in the sea, and inland waters.
taonga	Treasure.
tapu	Sacred, under religious restriction.
tiki	Stylised figure of greenstone or bone, worn as neck pendant.
tohi	Dedicatory ceremony performed over new-born child.
tohunga	Priest, expert.
tokotoko	Staff, quarter-staff.
tūāhu	Shrine where offerings were made to atua.
waiata	Song, usually a lament.
wairua	Soul, spirit.

Notes

1 The fairies of Puke-more

This text is from George Grey 1928:152-53. It was first published by him in 1854. Grey also published a translation (1855:292-95), and recorded in a footnote that the story was told to him by Te Wherowhero. A footnote to the Māori text adds that, 'upon the 27th of October, 1853, Te Wherowhero described the fairies as a white race, elegantly clothed in garments quite unknown to the natives, and delighting in music'.

Pōtatau Te Wherowhero, the leading rangatira of the Waikato tribes, was a famous warrior and tohunga. He was born in about 1800 and died in 1860, two years after having become the first Māori king.

Te Kanawa, the central figure in the story, occurs in Ngāti Maniapoto genealogies four generations above Te Wherowhero.

The Māori subtitle is taken from Grey's book, and was probably provided by him.

2 The fairies of Moehau

The manuscript, in the Auckland Public Library (GNZNNSS 7), was collected by Grey, perhaps during a journey which he made in 1849 through the Thames district. The text has been published previously (Orbell 1968).

The quotation in the introduction is from Tregear 1926:523.

3 Kahu-kura's net

The text is from Grey 1928 (150-51). Grey first published the story in 1854, and a translation in the following year. The Māori subtitle is taken from Grey's book, and was probably provided by him.

Paddlers in canoes used grass as seating, then later discarded it. In this story, Kahu-kura notes (in the third paragraph) the absence of this grass. The fairy paddlers did not use grass because their canoes were only the light flower-stalks of flax.

Te Rangi Hīroa (1950:212-13) tells of being shown the two rocks Tawatawa-uia and Tewetewe-uia.

4 The fairy who stole a human wife

The manuscript is in the Rev. Richard Taylor's papers in the Auckland Public Library (GNZT notebook no. 6, pp. 88-92). Taylor notes that the story was told to him in August 1866 by 'Hariata [=Harriet] who was severely wounded at Waikato'. In the same notebook, after a translation of the story he writes, 'Hariata, Waikato' — his usual way of noting the district to which an informant belonged. The war in the Waikato had been fought a couple of years previously.

The text has been published previously, with a translation (Orbell 1968:8-11, 107-8). The Māori subtitle is taken from Taylor's manuscript, and was probably provided by him.

In the first line of the fairy's song, the word 'rangi', sky, occurs in the manuscript. However, another version of this song (Ngata 1959:128) has the word 'raro', north wind, instead. This makes better sense, and seems likely to be the original word. It replaces 'rangi' in the text published here.

5 Ha-tupatu and the bird-woman

The author, Te Rangikāheke (?-1896), is an important writer of myths and tribal history. This text is from Grey 1928:82-83. It was first published by Grey in 1854.

For a version of the story in which Kura-ngaituku is called a giantess and a patupaiarehe see Taylor 1855:47-49.

6 The woman and the reptile

Mohi Ruatapu's manuscript is in the Alexander Turnbull Library, Wellington (1875-76: vol. 2, 145-48). The text and a translation have been published previously (Orbell 1968:42-45).

7 The adventures of Ruru-teina

This story was collected by J.F.H. Wohlers in the far south of the South Island in about 1850. He later published a translation (Wohlers 1876:115-18). The manuscript is in the National Museum, Wellington. The author is indebted to the Director of the National Museum for permission to publish it here.

8 The tohunga marooned on Whakaari

The manuscript of Tīmi Wāta Rimini's story is in the National Museum, Wellington. The text, with a translation and commentary, appears in Orbell 1973.

9 The girl carried off by a taniwha

Wiremu Te Wheoro (?-1895) is well known as a Waikato leader, politician and mediator. He was also one of John White's main authorities for his six-volume compilation of Māori history and tradition (1887-90), although unfortunately his writings were not published under his own name.

This story is in a manuscript in the Auckland Public Library (MS 712:71-74). For permission to use it, I am indebted to the Librarian of the Auckland Public Library. The Māori subtitle is Te Wheoro's.

10 A taniwha in the Whanganui River

For Wiremu Kauika's story and S. Percy Smith's translation, see Kauika 1904:89-98. Some storytellers have Ao-kehu as the progenitor of the Whanganui tribes, and say that he later destroyed other taniwha as well; see Downes 1936:1-4.

11 The man who came back

Te Wheoro's story is in a manuscript in the Auckland Public Library (MS 712:74-76). For permission to use it, I am indebted to the Librarian of the Auckland Public Library.

Piripi Matewha, who told a related tale, belonged to Ngāti Hauā in the Matamata region. His story was published, in translation only, by Edward Shortland (1882:45-47).

12 The woman brought back from the underworld

The manuscript is in the Auckland Public Library (GNZT notebook no. 6, pp. 82-88). The text has been published previously, with a translation (Orbell 1968:2-7, 107-8, where further information is given).

13 The lover from the underworld

The Māori text was published by John McGregor (1893:24-28). This has been corrected from the manuscript, which is in the Auckland Public

Library (NZ MMSS 16:26-33). The writer is indebted to the Librarian of the Auckland Public Library for permission to use this manuscript.

For information about the father's song, and other versions of the story, see Ngata and Te Hurinui 1970:430-33.

14 The boy and the seedpod canoe

The text is in Mohi Ruatapu's manuscript in the Alexander Turnbull Library, Wellington (1875-6: vol. 1, 81-84). It has been published previously, with a translation (Orbell 1968:46-51, 111-12).

15 The adventures of Hine-poupou and Te Oripāroa

The manuscript is in the Auckland Public Library (GNZMMSS 49:79-88, 1-2). It has been published previously, with a translation (Orbell 1968:90-103, 116, where further information is given). In the text, italicised words are exclamations.

Hine-poupou begins her swim from the southern end of Kāpiti Island; Tārere-mango is a rock there, and Ngā-kurī-a-Kupe (or Kupe's Dogs) must be rocks or cliffs. Among the other landmarks mentioned, Ōmere, now known as Terāwhiti Hill, is the high ridge above Cape Terāwhiti; this former lookout place commands a wide view of Cook Strait. Toka-pourewa is the old name for Stephens Island, north of Rangitoto (D'Urville Island).

The house which the men build to entrap the Pouakai is about 32 metres long by 22 metres wide.

16 The woman in the moon

The text is published by C.O.B. Davis (1855:167). The story is published as a footnote explaining a reference in a song from Te Rarawa, but Davis does not say whether it is from the same tribe. Certainly it must come from the Far North.

The story also appears in Orbell 1968:18-19.

17 Houmea the evil mother

This is in Mohi Ruatapu's manuscript in the Alexander Turnbull Library, Wellington (1875-76: vol. 1, 38-44). It has been published previously, with a translation (Orbell 1968:xiv-xvii, 64-71, 111-12, where further information is given).

18 The adventures of Paowa

J.F.H. Wohlers collected this story in about 1850, and later published a translation (1876:119-21). His unpublished Māori text was rewritten by John White, then published; and this rewritten story appears in Orbell 1968:72-79. Subsequently the original text came to light in the National Museum. I am indebted to the Director of the National Museum for permission to publish it here.

19 Little Tieke, the dancing thief

The text is in Mohi Ruatapu's manuscript in the Alexander Turnbull Library, Wellington (1975-76: vol. 1, pp. 33A-33B). It has been published previously, with a translation (Orbell 1968:52-53).

20 The greenstone fish-hook

This was first published in 1901 (Rimini 1901:188-90), in a version which had suffered some editorial alterations. The original manuscript is in the Alexander Turnbull Library in Wellington. A text re-edited from this manuscript appears in Orbell 1968a, and is reprinted here.

The Māori subtitle was provided by Tīmi Wāta Rimini.

21 Hihi-o-tote the murderer

The text is from John White's papers in the Alexander Turnbull Library, Wellington (MS 75, 'Ancient history of the Maori' vol. 10, Maori text pp. 26-29). No date is given, so it is known only that the story was written some time before White's death in January 1891. It may well have been collected many years previously.

The story appears with a translation in Orbell 1968:14-17, 108.

For a retold version in which we are told that Hihi-o-tote's last words were proverbial, see Cowan 1910:241-43.

22 The terrible head

The text is from Grey 1928:147-49. Grey published it in 1854, and a translation in 1855.

23 Tītapu's revenge

The manuscript is in the Auckland Public Library (GNZMMSS 9:113-14). The text has been published previously, with a translation (Orbell 1968:34-37, 110-11, where more information is given.)

D.R. Simmons (1976:414) assigns its authorship to Hami Ropiha.

24 The man who coveted his brother's wife

This story was published by C.O.B. Davis (1855:184-87); it also appears in Orbell 1968:184-87, 108-9. The quotation in the introduction is from Gilbert Mair (1923:104-8).

25 Taha-rākau's sayings

The author, Mohi Tūrei, was born in the Waiapu district on the East Coast, probably in about 1830. He was an important leader of Ngāti

Porou, a poet, and a prolific writer. He died in 1914.

The story appeared in *Te Pipiwharauroa* (126:2-3) in 1908, and was later republished (Tūrei: 62-66). The first text is followed here, as the second has some minor errors.

Tapuae, or Tapuwae, was a leading rangatira of Ngāti Kahungunu. For a different version of the story, which is told by Ngāti Kahungunu and has Tapuae triumphant, see Mitchell 1944:118-27.

26 The siege of Whakarewa

George Grey published the text in 1854, and a translation in the following year; later it appeared in Grey 1928 (pp. 154-55). The text given here is taken from a manuscript in the Auckland Public Library (GNZMMSS 113), which differs slightly from Grey's published version in the first few sentences. For permission to use this manuscript, the writer is indebted to the Librarian of the Auckland Public Library.

For a discussion of the events in the story, see Percy Smith 1908: 186-88.

27 Te Huhuti's swim to her lover

The Māori text has been published in Grey 1928:138-39. The manuscript is in the Auckland Public Library (GNZMMSS 29:66ff.), and a few small corrections have been made to the text from this. The writer is indebted to the Librarian of the Auckland Public Library for permission to use this manuscript.

For the other version of the story, mentioned in the introduction, see Fletcher 1926.

28 The young wife

The Māori text is in Grey 1928:197-98. The manuscript has not been found.

J.M. McEwen (1986:48-50) places Te Ao-huruhuru in the genealogies of the region, and gives the names of her first husband and her daughter. He also gives the locations of the places mentioned.

29 How Mata-tini won Te Naue

The text is from Grey 1928:194-96. It was probably written in the early 1850s.

30 Te Kahu-rere-moa's journey

The text is from Grey 1928:120-25, with a few corrections from the manuscript. Grey published it first in 1854, and a translation in the following year. It is apparent in his manuscript (GNZMMSS 29:22, 34) that the story of Te Kahu-rere-moa forms part of a long narrative which begins with Hotunui and Marutūāhu (Grey 1928:114-17), and that in publishing it, Grey interposed material from another source (Grey 1928:117-19). The writer is indebted to the Librarian of the Auckland Public Library for permission to use this manuscript.

References

Cowan, James 1910. *The Maoris of New Zealand*. Whitcombe and Tombs, Christchurch.

Davis, C.O.B. 1855. *Maori Mementoes*. Williamson and Wilson, Auckland.

Downes, T.W. 1936. 'Tūtae-poroporo.' *Journal of the Polynesian Society* 45:1-4.

Fletcher, H.J. 1926. 'The story of Te Huhuti of Te Roto-a-Tara.' *Journal of the Polynesian Society* 35:31-35.

Grey, George 1854. *Ko Nga Mahinga a Nga Tupuna Maori*. Willis, London.

———— 1855. *Polynesian Mythology*. Murray, London.

———— 1928. *Nga Mahi a Nga Tupuna*. 3rd edn, ed. H.W. Williams, Board of Maori Ethnological Research, Wellington.

Hīroa, Te Rangi 1950. *The Coming of the Maori*. Whitcombe and Tombs, Wellington.

Kauika, Wiremu 1904. 'Tūtae-poroporo, te taniwha i patua e Ao-kehu, i Whanganui.' *Journal of the Polynesian Society* 13:89-98.

Mair, Gilbert 1923. *Reminiscences and Maori Stories*. Brett, Auckland.

McEwen, J.M. 1986. *Rangitāne: A Tribal History*. Reed Methuen, Auckland.

McGregor, J. 1893. *Popular Maori Songs...* Field, Auckland.

Mitchell, J.H. 1944. *Takitimu.* Reed, Wellington.

Ngata, A.T. 1959. *Nga Moteatea.* Part 1. Polynesian Society, Wellington.

Ngata, A.T. and Pei Te Hurinui 1970. *Nga Moteatea.* Part II. Polynesian Society, Wellington.

Orbell, Margaret 1968. *Maori Folktales.* Paul, Auckland.

———————— 1968a. 'Tapa-kākahu and his fish-hook.' *Te Ao Hou* 65:6-7.

———————— 1973. 'Two versions of the Maori story of Te Tahi o te Rangi.' *Journal of the Polynesian Society* 82:127-40.

Rimini, T.W. 1901. 'Te Puna Kahawai i Motu.' *Journal of the Polynesian Society* 10:183-90.

Shortland, Edward 1882. *Maori Religion and Mythology.* Longmans, Green, London.

Smith, S. Percy 1908. 'History and traditions of the Taranaki coast.' Chs. 10 and 11. *Journal of the Polynesian Society* 17:169-208.

Simmons, D.R. 1976. *The Great New Zealand Myth.* Reed, Wellington.

Taylor, Richard 1855. *Te Ika a Maui.* 2nd edn. Wertheim and Macintosh, London.

Tregear, Edward 1926. *The Maori Race.* Willis, Wanganui.

Tūrei, Mohi 1913. 'Taharakau.' *Journal of the Polynesian Society* 22:62-6.

White, John 1887-90. *The Ancient History of the Maori.* 6 vols. Government Printer, Wellington.

Williams, H.W. 1971. *A Dictionary of the Maori Language.* Government Printer, Wellington.

Wohlers, J.F.H. 1876. 'The mythology and traditions of the Maori in New Zealand.' Part III. *Transactions and Proceedings of the New Zealand Institute* 8:108-23.

Acknowledgements

For their advice and assistance, I wish to thank my editor, Chris Price, Peter Ranby, Christine Tremewan and Diana Harris.

I am indebted to the directors of the following institutions for permission to reproduce photographs of works in their collections:

Auckland Institute and Museum: p.8, p.17.

National Museum, Wellington: p.41, p.53.

Auckland Public Library: p.77.

Gisborne Museum: p.3.

For the photograph on p.43, I am indebted to the DSIR, Lower Hutt (photo Lloyd Homer).

For permitting me to take photographs for publication, I am indebted to the Director of the Wanganui Museum (p.123 and 173), the Director of the National Museum (p.157), and the owners of Rongopai meeting-house at Patutahi (p.141).

Lithographs and engravings in publications in the Canterbury University Library were photographed by Duncan Shaw-Brown, Merilyn Hooper and Barbara Cottrell of the University's Audio-Visual Aids Department. The works are as follows:

Page 30: T. Bell, 1843. 'Reptiles', in Charles Darwin's *The Zoology of the Voyages of H.M.S. Beagle* . . . Smith, Elder, London (facsimile edn., Nova Pacifica, Wellington, 1980).

Page 61: Cook, James, 1772–1775. *A Voyage Towards the South Pole and Round the World* . . . (for) Strahan/Cadell, London.

Page 65: Burns, B. 1844. *A Brief Narrative of a New Zealand Chief.* R. & D. Reed, Belfast (facsimile edn, Hocken Library, Dunedin, 1970).

Page 68: Angas, G.F., 1847. *The New Zealanders Illustrated.* T. McLean, London.

Page 93: von Hochstetter, F.R., 1867. *New Zealand.* Cotta, Stuttgart.

Page 119: Dumont d'Urville, J.S.C., 1853. *Voyage au Pôle Sud* . . . [Atlas Zoologie]. Gide, Paris.

Page 131: Buller, W.L., 1888. *A History of the Birds of New Zealand.* 2nd edn. The author, London.

Page 148: Wakefield, E.J., 1845. *Illustrations to Adventure in New Zealand.* Smith, Elder, London (facsimile edn., Reed, Wellington, 1968). Lithograph after a work by Charles Heaphy.

The drawing on p.109 is by Piers Hayman (from his *Discovering the Birds of New Zealand*, Collins, Auckland, 1984): the drawings on p.138 is by A.N. Baker (from his *Whales and Dolphins of New Zealand and Australia: an Identification Guide*, Victoria University Press, Wellington, 1990). I am indebted to their publishers for permission to publish these works.

The photograph of the painting by Gottfried Lindauer on p.154, the photograph by Theo Schoon on p.27, and the photograph on p.48 are in the author's collection. The drawing on p.12 is by Gordon Walters.